C0-AKZ-418

África en el corazón

Calixthe Beyala

África en el corazón

ALCOR

Ediciones Martínez Roca

Traducción de José Ramón Monreal

Diseño cubierta: Compañía de Diseño
Foto cubierta: © Peter von Felbert y Anne Eickenberg

Título original: *La petite fille du réverbère*

Enric Granados, 84, 08008 Barcelona
Primera edición: enero de 1999
ISBN 84-270-2414-2
Depósito legal B. 47.268-1998
Fotocomposición: Fort, S. A.
Impresión: A&M Gràfic, S. L.
Encuadernación: Eurobinder, S. A.

Impreso en España – Printed in Spain

Ocurre con la identidad de un ser como con cualquier otra materia: se recicla.

CALIXTHE BEYALA

¿Quién puede enorgullecerse, entre nosotros, de haber escrito una página, una frase que no se encuentre ya, casi más o menos parecida, en alguna parte?

Estudio sobre la novela
GUY DE MAUPASSANT

Índice

PRIMERA PARTE

Génesis

En la época en que da comienzo esta historia, yo no era aún una escritora galardonada... ¡de la que uno se pitorrea, a la que se insulta, se desprecia, se trata de cerebro con faldas! Ni era tampoco la «negra» que deja pasmados a los pantalones sin culo, a esos seres pueriles sin virilidad, a todas esas nulidades que me cubren con sus frustraciones, porque creen, los muy imbéciles, que una mujer, negra para más señas, no sabrá defenderse. Tampoco era aún la primera licenciada del barrio que, a cambio de una moneda de veinticinco céntimos, escribía cartas a todas las putas, andróginos, conquistadores, ladrones y otros desechos humanos que gustan frecuentar nuestra región. En aquella época, yo era simplemente la Niña de la Farola.

Me llamo Beyala B'Assanga Djuli, lo que significa «Reina de Assanga». Heredé de mi Abuela un trozo de sabana al que el avance del progreso técnico no perdonó. Arrancó sus árboles, degolló sus bestias, las hacinó y trituró en máquinas infernales. Cuando no hubo ya ni verdor de árbol ni follaje, cuando el paisaje se asemejó a un mono híbrido, se trazaron carreteras, facilitando el acceso a las ciudades y a la tentación. Se abrieron establecimientos en los poblados que ofrecían cosas tales como: ¡Tres azucarillos a cinco francos! ¡Conserva un bonito pecho gracias a la leche Guigoz! ¡Bombones Chococam, lo mejor para tus dientes! ¡Seduce con el wax! ¡Vístete con trajes de París!

Desde los tiempos más remotos, en mi aldea enclavada en medio de las altas montañas, se desconocía el dinero y sus poderes. Se realizaban trueques. Se vivía frugalmente, al ritmo de las estaciones. La Abuela, cubierta con un paño rojo a modo de falda, planificaba lo que había que hacer cada día. Con un simple gesto declaraba inauguradas las festividades de los maníes; soplaba en sus cuernos y era el período de las ñames; y cuando consideraba que era el momento de repoblar la aldea, reagrupaba a las parejas y celebraba matrimonios. Algunos meses más tarde venían al mundo unos niños regordetes, que morían en su mayoría, pero no era motivo de tristeza... Una suerte compartida por toda la comunidad. La Abuela, que había parido diecisiete hijos, enterró a quince de ellos y, para colmo, también a su marido.

Ella dirigía su ciudad con la preocupación constante de conseguir lo mejor para su tierra y sus gentes. Un día, casi sin percibirlo, las redes de la ciencia cayeron sobre nuestra aldea. Hubo un desinterés creciente por esta sabana, donde los árboles impedían la vista por encima de la altura del hombre y los aislaba de la luz. Los jóvenes comenzaron a abandonar nuestro país, llevados por la imperiosa voluntad de trabajar en aquellas fábricas florecientes dirigidas por franceses y que producían dinero fácilmente. La Abuela corría de choza en choza, sosteniendo el paño rojo con una mano y el bastón en la otra:

–Si os vais todos, quién velará por nuestros muertos, ¿eh?

Se volvía hacia los padres de esos jóvenes, y con voz sorda les decía:

–Pedidles que se queden. Si ellos se van, ¿quién os va a enterrar?

Los ancianos se acuclillaban, incómodos en su piel de padres, vagamente burlados por el destino.

–¡La juventud es ingrata!

Luego se ponían a fumar sus cachimbas. La Abuela se arrojaba a los pies de los jóvenes diciéndoles:

–¡Quedaos, os lo suplico!

Después trataba de engatusarles con el rocío de la mañana y las alboradas floridas.

–¡Vais a echar de menos todo esto!

¡Y aquel cielo azul, aquel aire puro, aquellos vergeles, aquellas fértiles tierras! Los jóvenes evitaban caer en la trampa.

–¡Yo quiero ser rico!

Con un amplio gesto, señalaban la sabana que se extendía ante ellos, hasta donde no alcanzaba la vista.

–¡Pero aquí eso no es posible!

Recogían sus petates y se los echaban al hombro.

–Es a ti a quien toca velar por los muertos... ¡Tú eres la heredera!

Y se iban, sin ninguna nostalgia ni amargura, dejando que se pudrieran allí los campos, las chozas y los ancianos. La Abuela se llevaba las manos a la cabeza.

–¡Maldito sea el progreso!

Era el fin de una civilización. Todo un mundo se venía abajo.

En 1945 no quedó en la aldea más que una familia formada por una anciana que se iba consumiendo mientras mordisqueaba su cachimba. La Abuela tenía más de sesenta años. ¡Decidió abandonar Issogo porque había llegado la hora de ver con sus propios ojos aquella Francia, aquella plaga del «franchute» que había caído sobre su vida como millares de langostas en un campo, arrasándolo todo! Se paseó por entre las tumbas.

–Ya es hora de enfrentarse al enemigo –dijo.

Se arrodilló y el sol proyectó su sombra en el polvo.

–¡Nunca olvidaré Issogo!

Tomó un terrón de tierra y lo envolvió con su pañuelo.

–¡Regresaré para levantar este reino! –prometió a despecho del buen sentido.

Reunió a las dos únicas hijas que le quedaban: mi tía Barabine, a la que detestaba porque había heredado la anchura de hombros de su marido Bilokagan, y mi madre, Andela, su preferida porque, sin saber muy bien el motivo, las mujeres sienten debilidad por los niños nacidos de un embarazo tardío.

La Abuela llegó a Kassalafam una mañana de septiembre. Las casas parecían haber sido levantadas sobre ruinas, pero ¿de qué? Allí se había oído hablar por supuesto de los colonizadores, sin haber visto jamás de cerca el uniforme de los soldados blancos, ya fueran alemanes, franceses o ingleses. Las guerras por la descolonización tenían lugar en otras partes. Las balas perdidas sólo habían segado la vida de algunos despistados que no llegaron a tiempo de esconderse debajo de sus camas.

Y la Abuela no se asombró de encontrar allí a sus primos, que habían llegado a aquel lugar en espera del gran bautismo francés. Muchos de ellos habían envejecido prematuramente, viviendo en medio de calles embarradas, que olían a bombón Chococam, con sirenas de la Régifercam, con sueldos más volátiles que una hoja y deudas con los arrendatarios.

–Has hecho bien en venir –la felicitaban.

Aquellos niños que ella había visto jugar por las calles del pueblo se habían convertido en hombres hechos y derechos. Adoptando una expresión solemne muy propia de la circunstancia, le presentaban a su prole.

–Éste es Jean-Baptiste, Abuela.

O también:

–¡Ve a darle un beso a Mami, Joseph el Corto!

Le presentaban los vestigios de la civilización.

–¡Es uralita de verdad, Abuela! ¡Ya no tenemos que llevar una vida de esclavos!

Se sentaban en sillas. Se subían la pernera del pantalón. Hacían girar el dial de su radio, y una voz se ponía a berrear dentro del aparato. Era su forma de reprocharle a la Abuela el tiempo perdido, lejos de las dichas de esa vida moderna, mítica y solar.

La Abuela había perdido el tiempo y de algún modo se había despojado del emblema de su autoridad. Se vio obligada a reaccionar.

–¡Reconstruiré mi reino!

¿Cuándo? Yo todavía no había nacido. Pero más tarde, cuando empezó a contarme historias, ponía su mano sobre mi cabeza llamándome «Ngono Assanga Djuli, hija de Assanga Djuli», y era toda la responsabilidad de la historia lo que ella depositaba en estas palabras.

La Abuela recuperó el tiempo perdido entre los rigores del sol de Kassalafam, la tristeza de sus lluvias y la incertidumbre de su porvenir. Por supuesto que existía aquella pobreza, por todas partes, para joderse, hasta en la misma cama, a la que uno terminaba por acostumbrarse. Pero también había toda esa riqueza de palabras, de gestos, de risas por nada, de frágiles y trémulas esperanzas, que no permitían que los sentimientos de plenitud se alterasen por completo.

Bajo ese cielo andrajoso, la idea de reconstruir su reino alentaba dentro de su vieja carcasa con más ardor que nunca. El sol no la sorprendía nunca en la cama. De un manotazo, despertaba a sus hijas.

–¡Vamos, arriba!

De otro, las arrastraba al mercado.

–¡Un real es un real!

Regateaba sin piedad sobre los precios de la mandioca.

–¿Cuánto es? –preguntaba.

Al oír el precio, la Abuela se llevaba las manos a la cabeza.

–¿Tanto dinero sólo por eso? –decía torciendo el gesto–. ¡Pero si esta mandioca es incomible!

Describía las diarreas ditirámbicas y las náuseas mediterráneas que cogería uno apenas la probara. Cuando se callaba, aquellas mandiocas no valían ya para nada, ni su carne siquiera, que hubiera servido como mucho para echarla a los cerdos. Desalentadas, las vendedoras le dejaban que se llevase sus productos a mitad de precio. La Abuela confeccionaba ristras con ellas que luego vendía:

–¡Ristras de mandioca de calidad extra, a diez francos la pieza!

Había comprendido la modernidad. Sacaba partido de todo, incluso de sus conocidos.

La Abuela era así, nada se le resistía. Incluso el barro de Kassalafam cedió a su voluntad. Compró un trozo de ese lodazal, amontonó en él detritos y levantó el nivel del suelo. Hizo recuento de los chicos del barrio que soñaban con darse un revolcón con mi tía Barabine y los puso a trabajar, sin quitarles el ojo de encima. Entre ellos estaban Joseph el Corto, Joseph el Grandullón y Joseph Pata de Gallo, que se ensuciaban los calzones en medio de los sudores de las noches tropicales. Durante todo el santo día transportaron chuzos, cavaron en el suelo, fijaron con clavos unos tablones medio podridos, hasta el punto de que cuando el sol estuvo en su fase declinante, nuestra construcción de ladrillos y cascajos se alzaba hacia el cielo.

–Sois unos buenos ciudadanos –les dijo la Abuela, dándoles una palmadita en la espalda–. ¡La verdad es que sois muy buenos ciudadanos!

Luego los despachó de su concesión, lejos de las razones sexuales que les habían movido a trabajar a destajo.

–Gracias, hijos míos. Sois unos buenos ciudadanos.

Cerró de un portazo, malhumorada, y exclamó:

–¡No hay que dejarse llevar por los sentimientos y caer en las manos del primero que llega!

Sus palabras sonaron como un estallido y sus hijas se pusieron de pie, observándola.

–Pero mamá, no se manda en los sentimientos –se defendió tía Barabine.

La Abuela escrutó los ojos de Barabine y sacudió su cabeza cana ante la tontería que acababa de oír.

–Espero que no estés enamorada de ninguno de esos chicos –dijo–. Porque como ellos los hay a patadas en todo el mundo. ¡No merecen tu interés!

Tía Barabine abrió la boca para explicarle a la Abuela que a ella le gustaba Joseph el Grandullón, que no creía que hubiera que amordazar los sentimientos, que no se veía con ánimos para poner su corazón allí donde su madre quisiera, pero la Abuela reinaba en la casa como una fuerza de la naturaleza. Se tragó sus protestas. La Abuela aprovechó la ocasión para desanimarla de forma definitiva, pasando revista a todos y cada uno de los chicos. ¿Ese Joseph el Corto? ¡Pero si es un enano! ¡Un golfo! Estaba convencida de que era un borrachín. Si lo tomaba por marido, se moriría de hambre. ¿Joseph Pata de Gallo? ¡Bah, no es más que un holgazán! ¡Un sinvergüenza! ¡Seguro que iba a ser ella la que tendría que desriñonarse para darle de comer! ¡Y para colmo un entrometido! ¿Es que no se había dado cuenta? ¿Joseph el Grandullon? Ése era peor aún que los otros dos juntos. ¡Un tunante! Un chico problemático, como vulgarmente se dice. La Abuela adoptó una actitud marcial. De una seca castañeta, le hizo polvo el corazón. De un culatazo, le destrozó la moral. Cuando quedó definitivamente claro que sus hijas no tenían dos dedos de frente, echó el guante a sus destinos y los aprisionó entre sus viejas manos.

Pasaron algunos meses. Y para demostrar que en Kassalafam no había hombres a la altura de la incomparable belleza de sus hijas, la Abuela dejó de frecuentar a todo el mundo. Dejó de acudir a las reuniones del barrio donde se llevaban a cabo revoluciones agrarias y donde estaban entrando en la era industrial entre rondas de vino de palma. En aquellos momentos, la Abuela se encerraba tercamente en sus propias convicciones.

–¡Las cosas antes eran mejor!

Y su viejo corazón latía alegre recordando su aldea resplandeciente de luz, rebosante de chicos con una musculatura de aquí te espero que la arrebataban a una y la dejaban con los ojos haciendo chiribitas.

–A este paso, nos vamos a quedar para vestir santos –se quejaba Barabine en tono agrio.

La Abuela la miraba de soslayo.

–¡Ya me encargo yo de ello! –Soltaba un escupitajo y repetía–: ¡Ya me encargo yo de ello!

Y bien que se encargaba. No en Kassalafam, sino en el mercado, entre los tenderetes *bayam-sellams.* Iba en busca del yerno ideal entre todo aquel montón de mandiocas, entre los destellos de los pescados ahumados o de las carnes secas, cuyo fuerte olor se agarraba a la garganta. Porque aquellas mujeres por fuerza tenían que conocer a un hombre *que buscase esposa y tuviera un buen palmito,* uno de esos cachas que la dejan a una turulata.

–Has visto ya a mis hijas, ¿no? –preguntaba a Mado, a Jeanne-Marie o a Odette, como quien no quiere la cosa.

A un simple gesto de cabeza, tía Barabine y Andela se acercaban corriendo adonde estaban las vendedoras.

–¡Buenos días, mamá!

A otra indicación, retrocedían dos pasos y se quedaban con los brazos cruzados sobre el pecho. Los cabellos de la Abuela relucían, observaba a las *bayam-sellams* dulce y hechicera como una pisaúvas. Las *bayam-sellams* vendían al mayor sus productos. A la Abuela no le interesaba el menudeo.

–No quiero entregar a Barabine a un cualquiera, ¿me entendéis? –decía con voz trémula.

Y pasando de las palabras a los hechos ordenaba:

–Ve a ayudar a Suzanne a descargar sus mercancías.

Barabine obedecía. ¡Arrriiibaaa! Levantaba un saco de macabos. ¡Arrriiibaaa! Se lo echaba sobre los macizos hombros. Las mujeres la observaban, admiradas, al ver cómo se afanaba.

–¡Esta hija mía es capaz de sacar adelante el trabajo de tres hombres!

En cuanto a Andela, encarnaba la delicadeza agresiva. Su sola presencia ahuyentaba las tinieblas oscuras del alma e introducía en los espíritus los sones magníficos de las trompetas angélicas del día del Juicio Final.

La fama de las muchas virtudes de las dos hijas de la Abuela pronto atravesó las montañas y llegó hasta los confines del país... Se presentaron candidatos, picos de oro o tímidos, de punta en blanco o descamisados. Todos distintos, pero unidos en una misma búsqueda del amor. Llevaban sacos de macabos o de ñames, que arrojaban a los pies de la Abuela al tiempo que declamaban:

–Me llamo Etéme Etienne Marcel. Quiero a mi madre y trabajo de mecánico en la Régifercam... Si no tiene inconveniente, podría quererla a usted como a mi propia madre...

O bien:

–Me llamo Onana Atanga Pierre. Me gustan los niños. Si a usted no le importa, podría cuidarme de...

O esto otro:

–Me llamo Abama Tenié Gilbert, y soy un amante de las tradiciones...

La Abuela escuchaba, con una sonrisa de circunstancias, mientras sus dos mocitas, escondidas detrás de unas mantas que colgaban, mirando a través de un agujero, estaban pendientes de todo cuanto ellos decían y hacían mientras reían ahogadamente.

–¡Pero qué guapo es!

Se chinchaban un poco la una a la otra y no paraban de pitorrearse.

–¡Ése es mío!

Hasta que se enfadaban.

–¡A ése le he visto yo primero!

A veces era desagrado lo que expresaban y miles de cuervos graznando rondaban sus espíritus.

–¿No has visto qué labios tan horribles tiene?

Una vez que ellos terminaban de exponer sus cuitas, la Abuela los ponía de patitas en la calle, casi como una jefa de boy-scouts en acción:

–¡Estudiaré tu candidatura!

Comtemplaba el saco de productos alimenticios que le habían llevado como si fuera capital para su elección, y su voz adquiría una entonación meliflua.

–¡Me pondré en contacto contigo, hijo mío!

Ellos se iban, contentos por ese «¡hijo mío!» dicho como de

pasada para subrayar una aprobación. Creían que era ya un paso, un pequeño paso hacia la conquista de esa ciudadela de la felicidad.

Entonces aparecían las hijas de detrás de las mantas, vocingleras cual verdaderas cotorras.

–Mamá, ¿has hecho ya tu elección? –preguntaban ellas, saltando y dando palmas, exhibiendo esa alegría particular de las mocitas enamoradas–. ¡Pero qué guapo es!

La Abuela las miraba estupefacta. Luego, de repente, se ponía a dar vueltas alrededor de sus hijas, con las manos en la espalda:

–¿Qué quiere decir eso de guapo? ¿Con qué salsa se come la belleza?

Una extraña luz se encendía en sus cabezas, revelando los designios tenebrosos de la humanidad. La Abuela aprovechaba para revestirse de triunfante desdén.

–¡La verdad es que tenéis la cabeza en la luna!

Pero ella la tenía sobre los hombros. Eligió, para Barabine, a Essinga Jean Bedel, un cojo a quien la Abuela prefirió a ningún otro porque era carpintero y por una razón de extraordinaria lucidez: mientras haya vida no faltarán muertos, siempre habrá ataúdes que pulir, que clavar y que cerrar. Barabine no se moriría de hambre, era tan simple como que dos y dos son cuatro.

Mas como se trataba menos de ocuparse de lo que iba a suceder dentro de mil años que de lo que sucedía en aquel momento, la Abuela tenía otra misión: la de casar a Andela. Y fue cosa fácil. A sus dieciséis años, Andela tenía el color de la banana madura; sus trenzas se retorcían sobre su nuca cual hojas de palmera; sus piernas interminables le dejaban a uno bizco; el blanco de sus ojos era tan blanco, su boca tan pulposa y sus senos tan redondos que sólo verlos los hombres se encabronaban contra todas las conveniencias y cortapisas impuestas por la sociedad.

La Abuela y Andela volvían del mercado cuando Belinga Antoine, funcionario estatal en las plantaciones de palmeras de Tiko, la vio. Su corazón le dio un vuelco en el pecho.

–¡Alto! –exclamó a su chófer–. ¡Deténte!

El coche dio un barquinazo, las ruedas rechinaron, levantando una nube de polvo. Se plantó fuera del automóvil de un salto y el mundo se iluminó. Sus zapatos negros relucían; no menos su terno. Se quitó el sombrero, se inclinó delante de Andela y le ofreció una flor.

–¡Es para ti, pequeña rosa negra de mis sueños!

Y sin darle tiempo a reaccionar, se volvió hacia la Abuela y le besó la mano.

–Quiero a su hija –le dijo–. La tomaré por esposa, su precio es el mío...

Dio una palmada y el chófer sacó una pata de jabalí que arrojó a los pies de la Abuela; acto seguido, trajo un saco de macabos.

¡Ella no pedía tanto! Comer caliente tres veces al día y nada de tareas domésticas para su delicada flor bastaban para su felicidad. Y más tarde, que Belinga declamase poemas y canciones como es de rigor en el amor. Andela no podía más que guardarse sus objeciones.

Según los dimes y diretes que corrían a mansalva por Kassalafam, fue el matrimonio más lucido del que se guarda memoria. Los de Issogo se habían hecho confeccionar un uniforme para aquella ocasión excepcional. Bailaron y empinaron el codo hasta la saciedad.

–*We are the best people!* –vociferaban ante la mirada envidiosa de los habitantes del barrio.

Vieron que la recién casada lloraba bajo su largo velo blanco.

–¡Es de felicidad! –dijo la Abuela en respuesta a los muy imbéciles que la miraban de arriba abajo–: ¡Es de felicidad!

Incluso los perros ladraron para festejar las nupcias del dinero y de la miseria, de la belleza y de una virilidad en vías de enfriarse. ¿Y yo qué pinto en todo esto?, me preguntaréis. Pero paciencia, que todo llegará.

Los años siguientes fueron extraños para la Abuela. No se encontraba ni bien ni mal. Los días se escurrían entre sus dedos, se insinuaban en sus fibras e iban deteriorando un poco más su cuerpo, que se consumía. Perdía el pelo, se le caían los dientes y muy pronto su boca pareció un agujero. El reumatismo torturaba sus huesos y volvía sus extremidades puntiagudas como lanzas.

De día la gente veía en ella a una anciana expansiva. Se dedicaba a vender sus ristras de mandioca y bastaba con preguntarle: «¿Cómo anda la cosa, mamá?» para que sus labios se abrieran en una maravillosa sonrisa.

–¡Gracias a Dios, Andela acaba de dar a luz!

Se dedicaba a difundir la buena nueva del parto de Andela por doquier.

–¡El marido de Andela acaba de comprarle un ciclomotor!

La gente la miraba con cara de pasmo.

–¿Otro?

Pero se tragaban la buena nueva con la ciega avidez de quienes se aburren.

–Es su tercer hijo –añadía la Abuela, o bien–: ¡No es más que su segundo ciclomotor!

Pero de noche, cuando la luna mostraba su gran ojo alelado, cuando la paz nocturna extendía delante de ella sus grandes espacios azules, la Abuela sentía frío y algo se agitaba débilmente en su pecho. Reconocía en ello su deseo largamente incubado, la reconstrucción de su reino de Issogo, que se estaba muriendo. Se incorporaba en su asiento, y la lámpara arrojaba su rojo reflejo sobre su cabeza.

–He construido ciudadelas de humo –murmuraba.

Se quedaba sentada, diciéndose que todo cuanto había hecho no había servido para nada.

–No he mantenido mi palabra –gemía.

A veces ocultaba su rostro entre las manos y una voz de niña, sacudida por los sollozos, llenaba la casa como un maullido de gato enfermo.

Luego, un buen día, aquel día, justo después de la fiesta de la Independencia...

... Era la hora más calurosa de la jornada. La tierra se agrietaba. El aire gimoteaba dulcemente. Aquel horno que acariciaba con suavidad se infiltraba por doquier y desprendía fuertes olores. La Abuela estaba sentada bajo la veranda, extendiendo unas pastas de mandioca sobre unas hojas. Una estela de moscas atontadas daban vueltas en torno a su cabeza. De repente, se dejaron oír unos pasos. Levantó la cabeza y Andela apareció delante de ella. Llevaba un traje de vichy con los bajos en pico y con faralaes. Sus largas trenzas estaban recogidas en un moño en lo alto de su cabeza y dejaban al descubierto su largo cuello, de donde partían unos regueros de sudor. Arrojó la maleta delante de la Abuela.

–¡Ya estoy harta de estar casada!

La Abuela no soltó el bastón que sujetaba y la miró con cara de mema.

–Anda a descansar un rato –le dijo–. ¡Luego te acompañaré a casa de tu marido!

–Creo que no has entendido nada, mamá. ¡No volveré nunca más a casa de ese tipejo!

Recogió la maleta y se alejó. La Abuela se lanzó tras ella, renqueando, encorvada, corriendo tan deprisa como sus viejos pies le permitían:

–¡No puedes hacer eso! ¡No tienes derecho a divorciarte!

Le suplicaba.

–Tenemos que hablar.

Le exigía.

–¡Regresa inmediatamente a tu casa! Ya encontraremos una solución.

Los vecinos salían a la calle y ponían las manos en visera sobre sus frentes.

–¿Qué pasa?

La Abuela les sacaba la lengua.

–¡Meteos en vuestros asuntos, colonos de mierda!

Aquel «colonos», espetado con voz rota por una anciana de flacos pies y dedos deformes, resultaba poco menos que patético. «¡Colonos de mierda!», porque sus sueños se venían abajo. «¡Colonos de mierda!», porque estaba cansada. «¡Colonos de mierda!», simplemente porque la vida ya le pesaba.

Andela habría podido mandar a su madre al diablo para siempre de no haber sentido por ella cierta piedad, y creo que también afecto, el que siente un perro por su amo. Se detuvo en medio de un cruce de caminos y dijo:

–Si me quedo contigo, mamá, no me dejarás tranquila un instante. No pararás de meterte en mis asuntos.

La Abuela la miraba de soslayo, con el pecho hinchándose y deshinchándose como si sufriera un ligero ahogo, con un mohín de crispación en la boca y una mirada en la que brillaba una inquietante determinación.

«¡Cómo ha cambiado!», pensó. Luego se dijo también para sí: «Creo que ya nunca más podré imponerle mi voluntad». Y finalmente: «Más vale conservarla a mi lado que dejar que se vaya el diablo sabe dónde».

Se hurgó nerviosamente el polvo que tenía entre los dedos de los pies.

–Podrás hacer lo que te plazca –dijo la Abuela–. ¡Podrás tomarte todas las libertades, promesa de Assanga!

Los tres primeros días fueron idílicos. Andela dormía, comía y seguía durmiendo. La Abuela dilapidaba sus ahorros para guisarle toda clase de deliciosos platos, tales como makadjos con salsa roja y sanga con maíz y aceite de palma. Y la acosaba diciendo:

–Necesitas algo más, ¿eh? ¡Vamos, dilo, dilo!

Andela se abandonaba en la cama, soñadora.

–¡No te preocupes, mamá! ¡Todo irá bien!

Y se volvía a dormir. Cuando abría los ojos, aunque fuera incluso pasado mediodía, la Abuela seguía aún allí como si no se hubiera movido del sitio en ningún momento.

–¿Has dormido bien? –preguntaba. Se inclinaba y le acariciaba la frente–: ¿Tienes hambre tal vez?

Nunca abordaban el asunto que les preocupaba de verdad, como si, al hablar de su divorcio, fueran a llamar a la desgracia.

Al cuarto día, hizo tanto calor que incluso los pájaros en los árboles se ahorraban sus cantos. Tumbadas bajo las verandas, unas perras pelonas descansaban sus mamas vacías. La Abuela estaba trenzando unas ristras de ajos, a la sombra de un mango. Andela salió bruscamente de la casa con los pies descalzos. Llevaba el paño que le servía de falda a la buena de Dios, la blusa entreabierta, dejando al descubierto unos senos que cinco maternidades no habían logrado volver flácidos y el cabello le caía a lo largo del cuello. Parecía tan aterrorizada que la Abuela creyó que la perseguía un fantasma.

–¿Qué te pasa, hija mía?

Andela levantó los brazos al cielo y se mordió los labios.

–¡Ya estoy harta de estas cuatro paredes!

Sacudió la cabeza como si quisiera ahuyentar horribles visiones y señaló con el dedo la casa.

–¡Estoy harta!

Salía ya a grandes zancadas a la calle, cuando la anciana se lanzó tras sus pasos.

–¡Vuelve aquí enseguida!

Andela se volvió.

–No antes de...

Luego trazó un círculo con el dedo índice y el pulgar e introdujo un dedo imitando un terrible ruido de succión.

La Abuela la miró como una vaca que mea.

–¡Lo único que conseguirás será meterte en un buen lío!

Andela hizo caso omiso de sus protestas con un vago gesto de la mano.

–¡Tú no puedes entenderlo!

A partir de aquel día, la vida de Andela fue un desfile continuo de hombres. Ellos perdían la chaveta y ocupaban su vida entera. La seguían a su habitación, con la mirada vaga como bajo los efectos de un sortilegio. Los gritos iban subiendo de tono, el jergón rechinaba, la cabeza de la Abuela estaba a punto de estallar de dolor.

–¡Más bajo! –gritaba, golpeando el bastón contra la pared.

Ellos reían ahogadamente y cuchicheaban. Los «toc toc toc» agitaban los tabiques, intensos; la Abuela golpeaba de nuevo contra la pared:

–¡Me cubres de vergüenza!

Cansada, se llevaba las manos a los oídos, y a continuación se iba a otra parte para perderse entre la gente, donde unas comadres se lo estaban pasando en grande, diciendo cualquier sandez que se les ocurriera sobre su infortunio.

–¡Fue el marido de Andela quien la puso de patitas en la calle, porque no sabía hacer ni un huevo frito!

O bien:

–¡Fue otra mujer la que exigió que se largara, palabra de honor!

O bien esto otro:

–¡Belinga la sorprendió mientras se daba un revolcón en el mismo suelo con un criado y la echó!

La Abuela iba de grupo en grupo, como un pájaro de árbol en árbol, tratando de cortar todas esas calumnias mediante protestas a voz en grito más absurdas aún:

–¡Lo que tenéis que hacer es callaros la boca, zopencas de mierda! –Le temblaban los labios y de sus pestañas goteaban lágrimas–: ¡Cerrad el pico, zopencas de mierda!

Seguía despotricando, ansiosa de convencer, tratando de

descubrir en los rostros aunque sólo fuera un poco de comprensión. La gente ni siquiera pestañeaba. Estaban de lo más serenos y absolutamente convencidos de los hechos que se ponían a desgranar no sin cierto retintín.

Nadie había comprendido que hacer el amor es casi siempre la expresión de una desesperación...

Llegó la estación de los tornados, sin que flaquearan en lo más mínimo las ansias sexuales de Andela. Las nubes poblaron el cielo y ya no lo abandonaron. A la tempestad siguieron unas lluvias torrenciales que descargaron sobre Douala durante tres días. El viento azotaba las viviendas con gran estrépito. Los gatos se tumbaban cómodamente entre las piernas de sus amos. Los árboles se dejaban doblegar por el viento como si fueran hojas. Las gentes se encerraron a cal y canto en sus casas. Los que creían en Dios echaron mano a sus Biblias y sus voces se unieron a los rugidos del trueno.

–¡Perdónanos, Jehová!

Los impíos se agarraron a las faldas de sus mujeres.

Mientras la lluvia se abandonaba a su furia y en otras partes se besaban o recitaban las Sagradas Escrituras haciendo cábalas sobre la catástrofe final, y los ladrones aprovechaban este vendaval de cólera de la naturaleza para desvalijar a algunos ricos, la Abuela se acuclilló al calor del fuego y extendió sus manos hacia las llamas. De repente algo se quebró en alguna parte; sin duda, un árbol. La Abuela miró a Andela, que trataba de sacar de entre las brasas una mazorca que se estaba asando al fuego.

–Estás encinta –le dijo como si se tratara de algo evidente–. ¡Este hijo me pertenece!

A Andela se le escapó la mazorca de las manos, que acabó rodando por el polvo.

–¿Y su padre? –murmuró–. ¿Qué va a decir su padre?

La Abuela soltó una carcajada.

–Porque supongo que tendrá un padre –se burló–. ¡Vamos, dime quién es su padre!

–Eso no te incumbe.

La Abuela escupió contra el fuego y apuntó con el dedo hacia su ombligo.

–¡Soy su padre, soy su madre! Este hijo ha sido concebido para satisfacer mi deseo de reconstruir mi Reino.

Andela se estremeció y apretó los brazos contra el vientre.

La tempestad se calmó. Detrás de las trampillas del cielo, apuntó el sol. Salieron unas mujeres de las casas y se pusieron a quitar los escombros de delante de sus puertas. Los hombres repararon las techumbres y la Abuela encerró a Andela con siete llaves en su habitación.

–No permitiré que eches a perder la vida de este hijo.

Guardó las llaves en el fondo de su kaba.

–¡No hay que mezclar las sangres!

Luego se puso a montar guardia. Tan pronto como los amantes de Andela entraban en nuestra concesión, la Abuela abría la puerta y les endilgaba un cubo de agua en plena cara.

–¡Largo de aquí!

Escondida detrás de unas mantas colgadas, Andela miraba a sus amantes batirse en retirada. Luego se precipitaba a la cocina y se atracaba de pastel de maníes, de pistachos con pescado ahumado y de bananas hervidas. Muy pronto, las angulosidades de su cuerpo se redondearon y sus muslos se juntaron; sus mejillas se hincharon y se le dilató el vientre. Desde entonces, cualquier otra mirada que no fuera la de la Abuela le infligió un sentimiento de vergüenza.

Yo nací en 1961, una noche de luna llena entre los alaridos de mamá –a quien yo estaba desgarrando las entrañas– y la asistencia de una gorda comadrona encorsetada, de respiración silbante, la cual reclamaba las cosas más estrambóticas:

–¡Dadme una bomba de oxígeno! ¡Unas tijeras! ¡El fórceps!

La Abuela, de pie al lado de la cama, con ojos felinos, observaba cómo se retorcía Andela.

–¡Mi linaje no ha hecho sino empezar! –mascullaba.

La gorda comadrona la empujaba.

–¡Apártese, mujer! ¡Necesito estar tranquila, o de lo contrario no responderé de nada!

Yo chillé, anunciando la desaparición de los dolores. Andela se dejó caer sobre las almohadas, con el rostro bañado en sudor, el cabello pegoteado a las sienes. El rostro arrugado de la Abuela me miró.

–¡Ngono Assanga Djuli!

Se me llevó, me lavó con un guante caliente, me envolvió en unos pañales y a continuación se puso a bailar por la habitación.

–¡Bienvenida seas!

En un santiamén, se acercó a la cama y cogió la mano de Andela entre las suyas.

–¡Ahora, eres libre de ir adonde te parezca!

Andela podía ir adonde le pareciera, elevarse como el humo de un cigarrillo por encima de los humanos, desaparecer en las entrañas del universo, frecuentar a los espíritus. A la Abuela le importaba un comino, pues había conseguido lo que buscaba.

Me llevó a su casa, ante la mirada de desaprobación de la comadrona.

–Hay que mantener a la niña bajo vigilancia –la previno–. ¡Pueden surgir complicaciones!

Apenas su flaco cuerpo había dado media vuelta cuando la Abuela preguntó:

–Pero ¿qué complicaciones?

Y sacó a relucir toda su ciencia pediátrica que, sin querer poner en duda su eficacia, tenía más de sesión de tortura o de acción de guerra que de verdaderos cuidados. Un poco de agua salada para interrumpir las fuertes diarreas; un poco de ousang aplicado a los glúteos enrojecidos; pimienta en las encías para combatir las aftas. Cansada, la gorda comadrona apuntó un dedo amenazador.

–¡Que conste que está usted avisada!

SEGUNDA PARTE

En el nombre del padre

A los dos años llamaba a la Abuela «mamá», mamaba de sus pechos secos y satisfacía mi hambre con las gachas de maíz que ella me preparaba, ¡aleluya!

Una mañana, cuanto tenía tres años, mientras fanfarroneaba jugando a los volatineros en nuestro patio, perdí el equilibrio y me caí. Mis manos sangraban, mis rodillas también. Un sonido de dolor surgió de mi garganta.

–¡Mamá! –lloraba yo.

La Abuela acudió a toda prisa, restañó mis heridas y me hizo bromas en tono cariñoso.

–¿Por qué eres tan vieja? –le pregunté yo, vengativa.

–Porque ya es hora de que me llames Abuela.

–¿Por qué?

–Porque me llamo Abuela.

–Entonces, ¿quién es mi mamá?

–Se llama Andela. Se fue para hacer su vida en otra parte.

–¿Y por qué?

–¡Deja de hacerte preguntas idiotas, Beyala B'Assanga! El destino así lo ha decidido.

–¿Por qué?

–Te he pedido que no hagas más preguntas idiotas.

Tuve tanto miedo del destino que dejé de comportarme como una idiota. Por lo demás, nadie habría podido ayudarme a entender. Tía Barabine, corroída por su matrimonio estéril, se mantenía en la sombra. No existía ya para nadie. Desde entonces me vi obligada a aceptar como algo evidente la ausencia de mi madre, y más cuando a los cinco años la Abuela me aclaró:

–¡Los verdaderos padres de un niño son los que le quieren y le educan!

A los seis años, cuando fui por primera vez a la escuela, la Abuela me transmitió el secreto de una vida feliz.

–En la vida, quiere ante todo a quienes te quieran a ti... ¡Y a los demás, que los zurzan!

Andela formaba parte de estos últimos, borrosos e impalpables. Su partida significaba que ella no me quería. A los seis años, sin olvidarla del todo, la relegué a esas zonas brumosas del subconsciente, y más teniendo en cuenta que la Abuela se empeñaba en moldearme a su imagen y semejanza:

–Eres mi doble. ¡Has sido elegida por los espíritus para llevar a cabo mis luchas!

A los siete años iba al río, barría nuestro patio y criaba el ganado. A los ocho, me despertaba al primer canto del gallo, preparaba las ristras de mandioca que a continuación vendía a la vera de la carretera, de manera que a los once años aparentaba siete. Me apuntaban unos pocos pelos en las axilas, pero por lo demás estaba más plana que un culo de perola. Mis pelos de cactus parecían desordenadamente implantados en mi cabeza y mi piel, color de aceite de palma, incitaba a mis pequeños compañeros a insultarme tan duramente que tenía la impresión de que eran piedras que rompían contra mi cabeza.

No era tan grave, pues, sentada sobre la estera bajo el mango, lo cierto es que la Abuela me contaba leyendas tan llenas de vida que vibraban en mis venas y se mezclaban con mis pensamientos. Veía correr a los espíritus y bailar a los muertos sobre las techumbres. Oía sus gritos cuando venían a turbar el sueño de los vivos. Aun hoy, si por casualidad pasáis por nuestras tierras, oiréis un murmullo: el canto de las hojas muertas que cuentan nuestra historia.

–Cuentan que...

–¿Qué?

–Había una vez... –comenzaba la Abuela– una princesa maravillosa. Su rostro era de oro y sus pies de miel. Sus magníficos cabellos estaban engastados de minúsculos granos de maíz mágicos y su voz era tan melodiosa que los pájaros del cielo se paraban únicamente para escucharla. Estaba tan rodeada de belleza y de luz que hasta el mismo sol sentía celos de ella. Una noche, mientras dormía en su lecho de estrellas y de luna, un malvado brujo se acercó, le arrebató su voz y la encerró en una torre muy alta. La princesita no podía pedir auxilio. Trepó a una silla, frotó su cabellera contra la reja, y entonces subió a los cielos una melodía tan dulce, tan hermosa, que incluso el aire se electrificó. Nadie volvió a ver jamás a la magnífica princesa, pero su melodía aún perdura.

Había otra característica. Yo era la niña más sucia del barrio, pero era esa princesa. No llevaba corona, pero la Abuela me trenzaba una, invisible. Para ella yo era el centro de sus ambiciones y sus esperanzas, su pasado y su futuro. Yo asimilaba todos estos relatos, maravillada. La Abuela cultivaba unas plantas medicinales con las que curaba las enfermedades. Con el paso de los años me fue enseñando las virtudes de cada una de ellas: el ousang para la fiebre amarilla; el ndolé para los dolores de estómago; el kwem contra la viruela. La Abuela consideraba la memoria como la única riqueza del hombre. Me hacía recitar pócimas para ejercitar la mía: ¿cómo se purifica uno? ¿Para qué sirve el yezgo o el messepe? Y como yo ponía tanta aplicación en escucharla, la Abuela me daba lo mejor que tenía: la última ristra de mandioca que ningún comprador había querido, pasteles de maíz, llantenes fritos y la salsa de ngombo que le había regalado un vecino, pues hacía de curandera y nadie se hubiera arriesgado a mostrarse avara con ella.

La Abuela me acariciaba hasta que me dormía. Velaba mi sueño y ahuyentaba las pesadillas. Cuando yo abría los ojos, mi primera visión era el ceño de preocupación de la Abuela.

–¿Has tenido malos sueños, Beyala B'Assanga? –preguntaba.

Me quería porque yo era su esperanza, la esperanza de ver

reconstruido algún día el reino de los Issogos. Y si la hubierais oído cuando decía:

–Cuando haya terminado con tu educación, ya verás de lo que eres capaz. ¡Nada se te podrá resistir, ni ser humano, ni planta, ni animal!

El tono de vanagloria de su voz os habría dado tanto miedo que, al igual que yo, habríais visto crisparse vuestros miembros.

Yo estaba sucia y convencida de que no podía inspirar más que dos sentimientos: desagrado o asco. Por más que me lavaba, me refregaba con la kuscha, el polvo quedaba inexorablemente pegado a mi piel. La Abuela decía que era debido a que yo había sido concebida bajo el influjo de los instintos en un mundo regido por la fe cristiana o la tradición. Mis compatriotas me apodaban «Tapoussière». Si bien este apodo al principio me resultaba hiriente, más tarde me reconcilió con una cierta naturaleza. ¡Era como tener bula para toser en la mesa y arrojar las ascárides que se alojaban en colonias en mis entrañas; meterme un dedo en la nariz y sacar un trozo de moco que me limpiaba en el trasero; o soltar unos gases apestosos que ahuyentaban a las mismas moscas! Dicho sea en honor a la verdad.

En la escuela, el Maestro, un hombrecillo bonachón con unas articulaciones como palos de cerilla, con el cráneo rasurado porque era un manta, se ocupaba de todo lo demás. Había sido enviado a Francia, durante seis meses, antes de regresar como educador de los camerunenses. Nosotros éramos ciento ochenta alumnos en clase, de los seis a los veinte años, y nos importaba un rábano que el Maestro hubiera leído desde Homero hasta Malraux especialmente para que nos convirtiéramos en la réplica exacta de nuestros ancestros, los galos. Ciento ochenta chavales de regoldo sonoro, de terrible berrear, de mucho bostezar:

–¡UNO POR UNO ES UNO, DOS POR DOS CUATRO! –gritaba el Maestro.

Apenas comenzábamos a recitar cuando, al igual que mis compañeros, me sentía agotada.

«Pero para qué demonios sirve la escuela, ¿eh?», me preguntaba yo. Febril, buscaba piojos en la cabeza de mi vecina. Me encantaba oír cómo reventaban haciendo «chas» bajo la presión de mis uñas. Fatigada, ponía un pie sobre mi rodilla y, con la ayuda de un trozo de caña de bambú, hacía revolotear a las niguas. A continuación, con mis cuadernos todos pringosos me daba aire por lo mucho que nos apestaban los alerones. Yo no era ni peor ni mejor que los demás, simplemente era como era, éramos así.

Furioso, el Maestro se levantaba sin salir de su asombro. Su palmeta azotaba el aire y caía a ciegas sobre un brazo, una cabeza o una espalda:

–¿Qué has hecho, pueblo negro, para merecer a semejantes estúpidos?

No era un lamento sino simple depresión. Un rojo relámpago desgarraba el cielo, y el poco menos que inclemente sol que caía sobre nuestras tierras se posaba sobre su frente. De repente, se sacaba el pañuelo y se ponía a secarse el sudor.

–¡Abrid vuestros cuadernos! Dictado...

–¡Lo haces para ponernos un cero pelotero! –protestaban los alumnos.

Precisamente, el Maestro ponía los ceros a carretadas.

–¡Así aprenderéis! –decía él, disfrutando como un enano. Y sus manos de intelectual los dibujaban–: ¡Si eso no os ayuda a aprenderos las lecciones, al menos os enseñará a prestar más atención!

Yo detestaba los ceros, igual que otros detestan las espinacas. Tenía náuseas y mis ristras de mandioca me bailaban en el estómago, unas moscas zumbaban en mis oídos, me estrangulaba y un regusto repentino me subía a la boca. Aquel día, cuando el Maestro acababa de proceder a un reparto gratis de ceros peloteros, un relámpago cruzó por mis ojos, que quedaron perlados de lágrimas. Estallé en sollozos y lloré tanto que hasta los hierbajos e incluso los árboles se vieron sacudidos de tristeza. La clase se calmó, conmovida. María Magdalena de los Santos Amores, una pesadilla de gachona para todas las tías, se levantó bruscamente y con el dedo apuntó al Maestro diciendo:

–¡Es por tu culpa!

Y su enorme tetamen se agitó, dejando destrozado el gaznate de los chavales. Luego se adelantó, bandoleando sus brazos y contoneando su cintura como un sauce mecido por la caricia del viento. Yo la contemplaba, admirada. Era tan guapa que sus grandes piernas cubiertas de vello no podían sino hacer sentirse sumamente incómodos a los curas bajo sus sotanas. Cuando la tuvo a su lado, el Maestro se sintió tan fuera de sí que se puso a rascarse las pantorrillas.

–¡Eres un sádico y se ve que te encanta poner ceros a troche y moche!

–¡Olé! –exclamé yo con regocijo.

–¡Tú cierra el pico, Tapoussière! –dijo el Maestro, hecho una furia.

–Yo no he hecho nada –protesté.

Nadie me hizo eco. María Magdalena de los Santos Amores miró fija e intensamente al Maestro, luego lanzó un escupitajo contra la pared.

–Ya es hora de que te definas –le dijo ella.

Y salió de la clase contoneándose, con aire de sublime desprecio, como una reina ofendida.

Al día siguiente, el Espíritu Santo descendió sobre la cabeza del Maestro para separar lo verdadero de lo falso. Un profeta le habló y consideró a partir de aquel momento que su misión no era global, sino selectiva. Entró en la sala, presa de gran agitación. Rebuscó en los bolsillos, y sacó una hoja grasienta que sus dedos desplegaron febrilmente. Sus mejillas se hincharon.

–Queridos compatriotas –comenzó diciendo–, no conviene seguir dos liebres al mismo tiempo y, como dice el proverbio, ayúdate a ti mismo y el cielo te ayudará.

–Aunque una liebre se acostara sobre sus piernas seguro que sería incapaz de atraparla –nos reímos nosotros por lo bajo.

–¡Silencio! –exclamó el Maestro, y el furor asomó a sus ojos.

Con un gesto señaló a los alumnos.

–¡Tú a mi derecha, tú a mi izquierda, y tú también!

Su voz iba surgiendo con dificultad y más de un corazón se

puso a temblar. En el exterior, algunas hojas muertas volaron por los aires. Unas ratas corretearon por entre las mesas, para luego perderse al fondo de las paredes negras y húmedas.

Yo estaba entre los convocados. El polvo se agitaba ante mi rostro y se me metió un granito de arena por la nariz. Con el dorso de la mano, me lo froté enérgicamente para sacármelo. Tenía miedo, ignoraba lo que nos aguardaba, sentía vértigo y me mojé las bragas.

Los alumnos rompieron a reír. Sin piedad, el Maestro se volvió hacia los seleccionados, seis en total, y dijo:

–Sois mis elegidos. Vais a representar a nuestra clase y a demostrar a los ojos del mundo entero que nuestra hermosa República goza de buena salud. ¡Se supone que este año aprobaréis el examen de paso a sexto y que os sacaréis el certificado de estudios primarios!

–¿Por qué ellos? –preguntaron los demás, y sus ojos relucían de odio y de mil emociones–. ¡Ellos no son más dignos que nosotros!

El Maestro se encogió de hombros, siempre sin la menor compasión.

–¡Vete tú a saber!

Porque no le correspondía a él explicarle a todo el mundo lo que era el bien o lo que era el mal. Lo que era el egoísmo o la generosidad. Lo que era el amor o la castidad. Yo me hacía estas preguntas, pero el Maestro se encogió de hombros de nuevo.

–¡Vete tú a saber!

Estaba en el último curso de primaria y había sido seleccionada. Me sentía más contenta que unas pascuas, mis ojos reencontraban un poco de claridad. Mis labios remedaban unas caricias mudas, pero nadie habría querido que yo le besase. Me hubiera gustado darme un beso a mí misma y besar los pies del Maestro. Pero él requería ya nuestra contribución.

–*¡Oh Camerún, cuna de nuestros mayores!* ¡Compás de uno por dos!

Canté a voz en grito, pésimamente, porque era como si tuviera granos de maíz en la boca. Pero carecía de importancia, pues mi conciencia se despertaba ante la responsabilidad. La horrible fatalidad humana se iba extinguiendo. Todas las fuerzas que me quedaban las utilizaría para no defraudar al Maestro.

Regresé a casa a todo correr, cantando, cayéndome por el barro. No me daba ni cuenta de que estaba acalorada, que sudaba, que mis alpargatas me habían lanzado pellas de barro entre los muslos. La Abuela estaba encajando ristras de mandioca y una fina bruma se alzaba en volutas sobre su cabeza.

–¡He sido seleccionada entre los mejores alumnos, Abuela! ¡Voy a trabajar para mayor honra de este país, pasaré a sexto y me sacaré el certificado de estudios primarios!

El cuerpo de la Abuela se agarrotó. Una sonrisa crispada alargó su boca y se fijo en ella como lava incandescente.

–¡Muy bien, hija mía!

Luego su mirada se perdió a lo lejos, allí donde crecían los tallos de maíz.

–El «franchute», esa lengua de los blancos, es como la caña de azúcar. Buena para masticarla y luego escupirla. ¿Comprendes?

Hundió los dedos del pie en el polvo.

–Supongo que debo adaptarme a esta nueva realidad –continuó ella–. La acepto... No puedo caer más bajo.

Y se me puso la piel de gallina al comprobar lo mucho que ella se interponía en mi camino.

Durante los días siguientes, el Maestro se ocupó con mucho gusto de mi materia gris. Se ponía detrás de mí, con las manos tras la espalda, supervisando mi trabajo.

–¿Qué burradas son éstas? –preguntaba cogiéndome por las orejas–: ¿Así es como piensas tú ganarte el pan?

Me castigaba hasta que recitaba de memoria el libro de Historia, hasta que trazaba las figuras geométricas tan perfectamente que amenazaban con salirse del cuaderno, hasta que escribiendo Beyala conseguía dominar el flujo de tinta de tal forma que quedara armoniosamente distribuida sin correrse.

–¡El empeño, eso es lo que salva a la gente! –soltaba finalmente él en un formidable resoplido.

Los alumnos llegaron a detestarme tanto que me excluyeron de sus juegos. Se reunían en grupo y sus miradas me revolvían el estómago.

–Eso es porque su Abuela ha embrujado al Maestro –decían. Y añadían–: ¡No tiene padre! ¡Es hija de un fantasma!

Todos daban su versión acerca de las circunstancias de mi nacimiento. Hablaban de Andela como si ésta hubiera ido con las faldas levantadas hasta la cabeza, dispuesta a entregarse incluso a un perro. Cuchicheaban sobre la Abuela y sus hechicerías. Moridé, una mocosa de doce años, perteneciente a la familia de los cactus, que no a la de los humanos, se convirtió en un verdadero espíritu maléfico. Me espiaba y se reía solapadamente apenas me veía. Rodeada de su pequeña banda, unas muchachas de posición desahogada, allí, cerca de la fuente, despotricaban contra mí y me señalaban con el dedo hasta el punto de que sentía sus aceradas uñas clavarse en mis carnes.

Un día estaba tan harta que le salté encima a la tal Moridé, trastornada. La cogí del pescuezo y ambas rodamos por los suelos. Me senté sobre su vientre y le di con la cabeza contra el asfalto.

–¡Cretina de mierda! –gritaba yo sin dejar de arrearle.

Moridé no paraba de aullar, y luego de repente me dio la vuelta como a una tortilla y empezó a abofetearme.

–¡Bastarda!

Sus amigas gritaban y se agitaban como una colonia de langostas sobre un campo.

–¡Sácale los ojos!

–¡Arráncale las uñas!

–¡Reviéntale la cabeza!

–¡Rómpele los dientes!

Y tanto me golpeó que creí que mi cerebro iba a estallar y esparcirse mis sesos por las techumbres o quedar colgados en las copas de los árboles, sin un aquí yace fulano de tal.

El Maestro, alertado por los gritos, acudió veloz.

–¿Qué salvajadas son éstas? –preguntó, hecho un basilisco.

Cuando nos separó, yo estaba hecha un guiñapo. Numerosos rasguños cruzaban mi cara. La sangre manaba por mis partidos labios en gotas frescas. El Maestro me miró con ojos de odio.

–¡Sígueme!

Entré en clase. Reinaba un aire pesado y las paredes despedían vapor. En el patio, el sol ascendía en el horizonte y se achicaba. El rocío se volvía cada vez más escaso sobre la hierba. Una ratas correteaban ruidosamente. El Maestro apoyó las posaderas en su escritorio y unas cabezas de alumnos, negras y relucientes debido al sudor, aparecieron arracimadas tras las ventanas.

–¡Estás aquí para estudiar y no para pelearte!

–Ya lo sé, señor –dije bajando la cabeza, la espalda al desgaire, un tanto avergonzada–. Pero son ellas las que me insultan... No hacen más que insultarme.

–¿Qué importancia tiene esto? –preguntó descargando su regla sobre la mesa–. ¿Quién te crees que eres?

Furioso, me explicó que no nacemos iguales, sino que nos convertimos en iguales. ¿Acaso estaban muertas el cien por cien de las putas a las que todo el mundo ponía de vuelta y media? ¿Y qué decir de los destripaterrones? ¿Y de los leprosos? ¿Y de su excelencia el Presidente vitalicio que se hacía dar tratamiento de rey holgazán? ¿Quién era yo para exigir honores y respeto?

Yo no sabía qué responder y contemplaba la furia que se reflejaba en su rostro. Con el pie izquierdo, me rascaba la pierna derecha. Ignoraba para qué me servirían las ecuaciones, las fracciones y el imperfecto de subjuntivo, y más teniendo en cuenta que en casa la Abuela me provocaba desasosiego de espíritu.

–¡Yo sé muchas cosas que ningún libro te enseñará jamás! –soltaba al tiempo que se chupeteaba sus raigones.

Hablaba de lo invisible, de los hombres de tres cabezas, de los espíritus de alas sedosas que volaban sobre todos nosotros. No hice partícipe al Maestro de mis inquietudes, pero me prometí que aquel nuevo año... Aquel nuevo año, ese día X, tomé las siguientes resoluciones:

1. Encontrar a mi padre, pues el problema de mi madre Andela me parecía definitivamente solventado: no me quería.

2. Encontrar a mi padre, porque no nos conocíamos y porque ya era hora de demostrarle al mundo entero que yo no era obra de un fantasma.

3. Encontrar a mi padre y, si compartía la falta de sentimientos de mi madre, ¡mandarle al diablo!

Desde las cuatro de la madrugada, cuando nadie lo veía aún, el nuevo año expulsaba al viejo. Tomaba posesión de la tierra, del cielo y de las estrellas. En una noche todo vaciló y más aún en el corazón de los hombres. Y tan pronto como el sol se encontró con la luna, inclinándose la una frente al otro, un hombre exclamó:

–¡Hijos e hijas de Kassalafam, hijos queridos de la Madre Patria! ¡Prestad oídos y escuchad! ¡No vayáis al trabajo! ¡No vayáis a los campos! ¡Vosotras, mujeres, tomad a vuestros hijos en brazos! ¡Coged vuestros cayados, vosotros los viejos! ¡Venid todos, enfermos, cojos, paralíticos, venid a participar en la gran fiesta! Pues hoy, a medianoche, Camerún celebrará el Nuevo Año, para mayor gloria de su independencia! ¡Fiesta para todo el mundo! ¡Tómbola hasta decir basta! ¡Baile de disfraces!

Me desperté sobresaltada y reconocí la voz de nuestro jefe de barrio, el señor Atangana Benoît, un hombre de corta estatura, piernas regordetas y cara de gorila. Iba recorriendo Kassalafam con un barrilete agujereado pegado a la boca.

–Hijos e hijas de Kassalafam, éste es un día especial...

El jefe tenía razón. Era un día especial, un comienzo de mundo. Encontraría a mi padre y me convertiría en otra. Tendría un pedigrí definido, que remontaría a los mismos orígenes de la humanidad. Esa idea me producía una extraña excitación y me hacía expulsar todo tipo de humores. Kassalafam se había puesto de punta en blanco para cantar el himno nacional. Habíamos hecho para la ocasión cosas inusuales, como limpiar en la escuela nuestros bancos al canto de: «*Nifafado - nifafanifa - fanifaniyée - inéfadi*», que repetimos sin cesar. Y luego, alineados en filas iguales, barrimos el patio con la ayuda de unas escobas de rafia. Estábamos tan cansados, el sol nos daba tan fuerte en la cabeza, que no pudimos hacer más que ponernos a cantar de nuevo: «*Allons z'enfants de la patrie-euu, le jour de glorie est z'arrivé!*». Yo estaba agotada, pero no paraba de trabajar, con los oídos llenos de imaginarios aplausos, tontamente convencida de que mi padre vendría a visitar la escuela. Quería que estuviera orgulloso de mí. Oía fanfarrias, trompetas que anunciarían su radiante llegada. Moridé y sus amigas me miraban de arriba abajo, despreciativas.

–Trabaja así sólo para llamar la atención del Maestro –soltaban.

Yo no les respondí nada, pues, como decía la Abuela: «Cada vez que trepes a un árbol, siempre habrá algún imbécil abajo gritando: "¡Mira, lleva un roto en las bragas!". ¡Sólo caben dos soluciones: o volverte y caer, o seguir trepando!». Recordé las reflexiones de la Abuela y no me dejé distraer en mis sueños de grandeza. Estaba ya entre los brazos de mi padre, estrechada contra su corazón. Hacía acopio por anticipado de nuestros almuerzos a la luz del sol, de nuestros estallidos de risa, de nuestros paseos, de nuestras Navidades rebosantes de papeles de regalo esperando ser desgarrados, de muñecas que desempaquetar, toda esa vida que no habíamos compartido nunca, pero que íbamos a compartir.

Cuando regresé al barrio, vi al jefe, de pie delante de mis conciudadanos que estaban trabajando. Llevaba unas botas de plástico rojo y un casco amarillo. Canturreaba «*tirurí, tirurá*» para hacer más ameno el trabajo. A un silbido, las mujeres recogían los cubos de la basura, y a otro alzaban sus manos que empuñaban azadas y las dejaban caer sobre la hierba.

–¡Buenos días, jefe! –exclamé en medio de las parlanchinas mujeres.

–No tengo tiempo que perder –me dijo. Luego se quedó mirando una rata que escapaba por entre sus piernas y añadió–:

¡Si ellas pudieran trabajar todos los días así, el país se desarrollaría en un periquete!

Haciendo un gesto con la barbilla, señaló a unos hombres a lo lejos, ocupados en reparar nuestros puentes de madera comidos por la miseria:

–¡Ah, si pudieran trabajar todos los días así!

También yo deseaba el desarrollo para nuestro barrio. Tenía sueños de grandeza. Estaba convencida de que llegaría un día en que, de una sola mirada, yo convertiría Kassalafam en una ciudad fantástica, radiante de luz; en un abrir y cerrar de ojos transformaría a los chavales del barrio en príncipes consortes fragantes y turbadores como las pócimas de Circe; de un simple parpadeo metamorfosearía a nuestras fogosas culonas en náyades y en Vírgenes esculpidas luminosas cual mil farolas. No eran más que simples sueños de niña que el tiempo acabaría haciendo desaparecer en el último mantel bordado, el reclinatorio, el reposacabezas, el tapete de mesa, a los que, más tarde, ya adulta, me aferraría para darme a mí misma la ilusión de haber hecho algo con mi destino.

Mientras esperaba, intrépida, trabajaba. Sentada enfrente de la Abuela sobre una vieja estera, me sentía bien, con mis pequeñas cosas de costumbre. La gente pasaba canturreando serenatas sin demasiado entusiasmo. El sol hacía bailar unos reflejos en la cabeza de la Abuela, caprichosos y peregrinos. Envolvíamos pastas de mandioca en unas hojas verdes y los gestos de mi Abuela eran como el movimiento de un cubo dentro de un pozo que sacara a la superficie el agua maravillosa de los recuerdos de una época olvidada.

–¿Para qué se fatigan así? –preguntó de repente la Abuela–. ¡Pero si mañana todo estará hecho de nuevo un asco!

Era una constante. La Abuela no creía más que en una cosa: en que mi educación nos permitiría volver a levantar el gran reino de Assanga. El resto la aburría.

Yo estaba desconcertada. Después de todo, formábamos parte de Kassalafam, ese barrio de los extremos donde la fealdad y la belleza se daban la mano para mayor gloria del universo; donde Dios y el Diablo se confundían; donde los hombres eran capaces de matar para robar y los sollozos de las mujeres eran tan magníficos como un canto; donde el odio de los políticos alcanzaba su punto álgido, pero también donde la admiración por sus riquezas sobrepasaba a la pasión de Cristo porque se idolatraba sus Mercedes.

Yo llevaba en mí esta tierra de contradicciones modernas, de abstracciones del buen sentido, ese vientre de la anarquía y de las zambullidas de cabeza en las profundidades del absurdo. Los nacidos allí, como yo, llevan la marca indeleble de ese barrio, de sus sinsabores, de sus angustias, de sus aguas podridas, de sus melancolías, de sus risas, de sus lloros, de sus miedos y de sus torres de observación infernales. Se sienten apegados a todo ello, no como se apega uno al ambiente de la infancia o de la adolescencia, sino como marcados por un sello.

He aquí por qué, atizando el fuego, soplando en las brasas con toda la fuerza de mis pulmones, levanté la cabeza y le pregunté a la Abuela:

–¿Por qué no te interesas por la vida del barrio?

Ella me miró. Yo tenía calor. Sudaba y mis ropas se pegaban a mi piel. Mi rostro estaba manchado de hollín. Me lanzó una mirada furibunda y creí haberla disgustado. Agarré el faldón de mi vestido, roto en la espalda y en las axilas, para secarme el rostro. La Abuela me miró de nuevo y un profundo suspiro como un tornado escapó de su garganta.

–Después de haber creado Europa, Asia, América e incluso el resto de África, Dios reunió los escombros de sus construcciones y los arrojó aquí. De ellos nació Kassalafam. A continuación, eligió este lugar para llorar sus fracasos.

Rellenó su cachimba, que hundió entre los labios ajados, aspiró y añadió:

–Por eso es por lo que el cielo está siempre gris y llueve hasta en la estación seca. ¿Cómo quieres que me interese por semejantes asquerosidades?

Golpeó sobre la cazoleta.

–¡Yo soy una santa!

En ese mismo momento, la señorita Etoundi, una puta del puerto que vivía en nuestra concesión, salió de su habitáculo. Era delgada, de carácter bastante seco, pero con unos ojos de mirada acariciadora. Con paso gracioso, pasó por entre la ropa blanca que colgaba de una cuerda, apartándola como si fueran velos con sus dedos ensortijados.

–¿Cómo me encuentras? –me preguntó.

Hizo un ademán para realzar su nalgatorio del lado izquierdo y se llevó una mano a la cadera.

–Estoy cambiada, ¿no?

La Abuela torció el gesto y entornó los ojos como una corneja en celo.

–Más vale no contarle a nadie lo que acabamos de ver –dijo con calma.

Había que ser ciego para no darse cuenta de que la señorita Etoundi llevaba una peluca rubia. Sus zapatos estaban raídos, pero eran rojos. Su piel blanqueada a la intemperie dejaba entrever unas manchas negruzcas que me daban ganas de ir a esconderme entre la espesura.

–He dejado escapar mil ocasiones de casarme con un verdadero blanco –dijo–. ¡Pero este año no pienso dejar escapar ni una!

–Que tengas mucha suerte –le deseó la Abuela sin dejar de encajar las ristras de mandioca.

–¿No quieres que te acompañe a Canen, donde las putas? –pregunté.

La Abuela levantó la cabeza como un león que acaba de zamparse una mosca. La señorira Etoundi, con esa intuición de quien está acostumbrado a salir al paso de los deseos ajenos, se precipitó hacia mí y me cogió de un brazo.

–¿Qué es lo que acabas de decir? –me preguntó, haciendo voltear los volantes de su falda–: Pero ¿tú te has visto?

Ella escrutó mi figura de arriba abajo.

–¡Pero si nadie va a querer saber nada de ti allí! –Luego dio unas palmas–: ¡Ay, esta juventud de hoy en día!

–No es pa-ra tra-ba-jar –dije yo separando las sílabas a fin de que la Abuela comprendiese–. Yo me encargaré de llevarte el bolso, y así, parecerás una mujer respetable.

Me arrojó una moneda de cien francos.

–¡Entonces, ve a comprarme unos buñuelos de alubia en vez de decir tantas sandeces!

Regresó a su habitación, donde unos pósters gigantes en los que podía leerse «Mostrad una brillante sonrisa con el dentífrico Colgate y volveos más blancos que un blanco con Omo» herían la vista con sus sonrisas picaronas.

–Una mujer que exhibe su cuerpo por todas partes y lo deja manosear por cualquiera no vale un pitoche –murmuró la Abuela.

–¿Como Andela? –pregunté yo con la esperanza de hacer trizas su aplomo.

–Veo que has comprendido bien –dijo sin abandonar su rigidez–. ¡Me pregunto qué habría sido de ti de haberte criado ella!

Sentí una punzada en el pecho. ¿Qué habría sido de mi vida de haberme criado Andela? ¿Qué me habría aportado? Dejé de lado rápidamente estas preguntas peligrosas para nuestro equilibrio. De lo contrario, la Abuela se habría sentido desgraciada. Me convencí de que, fuera de la ausencia de mi padre, nada iba mal. La Abuela me quería; yo heredaba conocimientos de antaño cuya existencia desconocían hasta los hombres de edad madura, lo cual era algo magnífico.

Salí y el sol recortó la silueta del jefe avanzando en dirección a mí.

–Hijos e hijas de Kassalafam, en este treinta y uno de diciembre...

Su voz tonante hacía volar mis pensamientos en pedazos y los reunía desordenadamente en mi cabeza. Su chilaba rosa agitada por el viento me dejó tan impresionada que agité los brazos.

–¡Jefe! ¡Jefe! –grité.

El jefe puso el micro a modo de visera sobre su frente y parpadeó.

–Ah, ¿eres tú, Tapoussière? –preguntó.

Asentí, y mi timidez hizo que me quedara rígida como un muerto.

A nuestro alrededor, la vida seguía. Unos ancianos precavidos, acuclillados bajo las verandas, recogían sus bastones y regresaban a sus camastros.

–¡Dios me ama, pues me permite ver el nuevo año con mis propios ojos!

Unos hombres se embetunaban los zapatos en el umbral de la puerta y tomaban resoluciones.

–Yo dejaré de beber el uno de enero.

O también:

–Yo dejaré de fumar.

La gente se creaba un nuevo destino:

–Este año voy a hacerme rico.

Unas muchachas remendaban sus blusas rotas y se reconcomían de las ganas:

–No dormiré más sola.

Hacían planes como quien pide la luna:

–Por fuerza tiene que haber un chico casadero en esta ciudad, en algún sitio, que no sueñe más que conmigo.

Se sermoneaban:

–Si no, para qué me sirve ser una mujer guapa, ¿eh?

Unas solteronas se acicalaban, y podía vérselas correr de un sitio a otro, mendigando un peine para desenredarse los rizos, prestando un par de zapatos, ¡con el cabello lleno de bigudíes desde hacía una semana! Aquello era todo un acontecimiento.

–¿Qué tienes que decirme, Tapoussière? –preguntó el jefe.

–Pues que... –comencé farfullando–. Estaba pensando que deberías hacer promulgar una ley que obligara a los hombres a reconocer a sus hijos.

–¿Hacer promulgar una ley? –interrogó el jefe, estupefacto–. Pero ¿para qué?

–Para que los niños tengan un padre –dije.

Ignoraba que le hiciese falta tan poco a un rostro para demudarse. El jefe dobló las rodillas y sus mejillas se hincharon, como si gritasen: «Pero ¿lo habéis oído?». Se agarró su gruesa panza con las manos:

–¡Ay, pero mira que tiene gracia esta cría! –Dio una patada y el bajo de sus pantalones levantó una nube de polvo–. ¡Pero si sólo una mujer puede saber quién la ha preñado, y no siempre!

Se calló y vi que algo se agitaba en sus ojos que, más tarde, reconocería. Por el fondo de sus negras pupilas cruzaban unas farándulas de enaguas levantadas, unas guirnaldas de besos robados a las señoras Tal y Cual, que se defendían, contentas y alegres, de ser forzadas.

–Existen excepciones –exclamé yo.

–¡Aparte de mi madre, no conozco otra!

Sus palabras subieron como la marea y se expandieron como la bruma por el interior de mi cabeza. ¿Y su mujer, esa gruesa silueta con cara de Islam? ¿Y sus hijos, engalanados con calcetines blancos? ¿Acaso dudaba de ellos, de su paternidad? No me dio tiempo de preguntárselo antes de que estallaran unos gritos, electrificando el aire.

–¡Devuélveme mi dinero!

–¡No pueden olvidar esto como ningún treinta y uno de diciembre! –gimió el jefe–. ¿Es que no van a olvidarse nunca de sus malditas deudas, aunque sólo sea una vez?

Lo primero que vi fue un montón de piernas: flacas, gruesas, musculosas, blandas, peludas o lampiñas. Se cruzaban como espadas, entrechocaban.

–¡Devuélveme mi dinero!

Por todas partes, la gente corría para reclamar sus deudas.

–¡Las cuentas claras hacen los buenos amigos!

Se agarraban del traje.

–¡Tú y yo no llegamos a mañana si no me reembolsas mi dinero!

Porque, más allá de todos los preparativos para recibir al nuevo año, sobre todo era un día *en que no había que ser un mal pagador, en que había que aflojar la mosca.* Se ajustaban cuentas.

Frunćí el entrecejo, rebuscando en mi memoria a alguien que me debiera alguna cosa, aunque fuera algo inverosímil, como un vestido tres cuartos escotado, por ejemplo, o unos caramelos de dos colores, pero no encontré a nadie. No tenía nada tentador para ningún alma viviente. Podía quedarme allí y que me partiera un rayo. Había que transgredir o morir. Y mientras el jefe se abría paso entre el gentío gritando: «¡Hoy a medianoche es fiesta, queridos compatriotas! ¡Perdonad y Dios os perdonará!», yo empecé a pisarle los talones, porque tenía algo que exigir a la humanidad, como era *un padre*. Deambulé en medio de mis conciudadanos, observando sus rostros, especialmente los de los hombres, tratando de detectar algún signo idéntico, alguna nariz, alguna boca, alguna frente, alguna mirada que me indicara cuál de aquellos hombres era mi padre. Pongamos, por ejemplo, que el señor Etiengou Propicio de las Maravillas hubiera podido ser un buen padre, de no haber bebido hasta ponerse ciego. El señor Singer Philippe Onassis, con su terno, hubiera sido perfecto, de no haber tenido una boca tan hocicuda y esa mancha en la frente del tamaño de dos estrellas. En cuanto al señor Onana Victoria de Logbaba, tragaba tanto que hasta las orejas se le habían engordado. Yo pasaba una y otra vez por delante de mis compatriotas, como un alma errante. Examinaba minuciosamente los cabellos, los dedos de los pies e incluso las cejas para detectar en ellos un cierto parecido que me aportara alguna luz sobre mi filiación. A mi alrededor, la gente suplicaba:

–Por favor, dame un poco más de tiempo.

Apelaban a los buenos sentimientos:

–Elie, somos amigos, ¿no?

No había nada que hacer. Hubo un cruce de puñetazos, tirones de corbata para estrangularse unos a otros, te piso porque tú me has pisado a mí, mientras que yo buscaba desesperadamente a mi progenitor.

–¿Qué mosca te ha picado para mirarme así? –me preguntó de repente el señor Onana Victoria de Logbaba–. ¿Quieres hechizarme o qué?

–Justo estaba pensando que podías ser mi padre –solté yo.

Con un increíble bufido, el señor Onana Victoria de Logbaba se liberó de su acreedor.

–Pero... Pero... ¡Esta criatura está loca!

Se adelantó hacia mí amenazante.

–¿Qué diría mi mujer si oyera esto? ¿Quieres joderme la vida o qué?

Su acreedor acudió corriendo hacia él.

–¡No es éste el momento para divertirse, señor mío! –Con aire resuelto, lo agarró del pantalón–. ¡No te saldrás con la tuya!

Los ojos del señor Onana Victoria de Logbaba se pusieron en blanco.

–¡Yo no soy ningún timador! –Ponía a la gente por testigo de sus palabras–. Todos vosotros lo habéis oído, ¿no? ¡La Tapoussière cree que yo soy su padre!

Unos hombres se encogieron de hombros.

–¡A nosotros que nos registren! –dijeron soltando un escupitajo–. ¡Después de todo, no estamos las veinticuatro horas del día encima de ti para saber dónde metes el pirindolo!

–De todas formas, era una broma –espeté yo retrocediendo.

Cuando estuve lo bastante lejos, me di la vuelta y eché a correr, con el corazón en un puño. Pasé por delante de nuestro *modisto-sastre de casa Dior e Yves-Sin-Laurent,* allí, bajo la farola, situado en plena encrucijada, aquella farola que, más tarde, sería la causa de que me pusieran el apodo de la Niña de la Farola, porque era en ese lugar donde estudiaba y hacía los deberes. Si por casualidad pasáis algún día por allí, abrid vuestro corazón a su gran ojo amarillo de soldado extenuado y a su chatarra herrumbrosa y retorcida, pero ése es otro asunto. El señor modistro-sastre traqueteaba en su Singer. Cuando me vio pasar tan deprisa, las agujas se le cayeron de los labios.

–¿Has visto algún fantasma, Tapoussière?

Yo me encogí de hombros sin responder. Corrí hacia donde estaba la Abuela, hacia nuestra casa medio en ruinas donde podía observar desde la veranda, con toda seguridad, ese oscuro agujero que era mi nacimiento.

Cuando regresé a casa, la señorita Etoundi estaba en su gloria de fruto prohibido. Se hallaba sentada delante de un espejo, reventándose las espinillas. Brotaba de ellas un pus blanco y nauseabundo, como unos gusanos blancos.

–¿Me traes los buñuelos de alubia? Ponlos allí –añadió señalando el velador.

Yo dejé su dinero.

–No quedaba ya ningún buñuelo.

Contemplé sus trajes colgados de unas alcayatas a lo largo de las paredes. Sentía ganas de husmear delante de sus ropas con encajes, de sus blusas con la espalda al aire. A lo lejos oí unas voces trastornadas que hablaban de Dios en un inigualable coro de oraciones:

–¡Resucitará, te lo digo yo! ¡Por lo demás, Él ya ha resucitado!

Yo encontraba este proselitismo tan hermoso, pero que tan hermoso, salvo por lo que significaba, que me sentí como si estuviera sobre una nube inmóvil.

–Permíteme, querida –le dije a la señorita Etoundi–, que lleve tu bolso. Me conformaré sólo con eso.

–¿Éste es el único cambio que se te ha ocurrido para el año nuevo, llevar mi bolso?

Asentí, disimulando así mi verdadera decisión, a saber, encontrar a mi padre. Ignoraba los laberintos del alma humana, pero presentía que hacer confidencias era peligroso. La señorita Etoundi echó su cabeza hacia atrás y una risotada brotó de su garganta.

–Es demasiado divertido –dijo.

Casi lloraba de tan absurda como encontraba mi ambición de llevar su bolso. Para una chiquilla como era yo, ver Douala *by night* era como penetrar en un santuario abarrotado de felicidad; era codearse con unos ángeles negros de imponentes senos y verles disfrazados con tizne de blancos de una energía terrible. Era leer un libro magnífico pero complicado donde se invertían los papeles: los amos se volvían esclavos y los sometidos, divinidades. Quería descubrir Douala *by night* para adormecer mi sufrimiento.

–A partir de mañana, sé limpia –me sugirió la señorita Etoundi como cambio.

Yo apreté los dientes, porque al día siguiente Él resucitaría, resucitaría de verdad, y el cielo no sería ya nunca más el mismo, pues el sol se alzaría por el oeste y la luna brillaría durante el día... Entretanto, regresé a nuestras ristras de mandioca.

Encima de nosotros el cielo se cernía risueño, los árboles relucían, entre tristones y alegres. La Abuela no decía esta boca es mía y su rostro arrugado por las lágrimas que le había hecho derramar la vida contaba cosas misteriosas que yo no alcanzaba a comprender.

–¿Quién es mi padre? –le pregunté.

Parecía tan sorprendente mi pregunta que me miró como si yo hubiera fumado cáñamo o me hubiese partido la cabeza contra una roca.

–¡Deja ya de hacer preguntas estúpidas! Qué harías tú con un padre, ¿eh?

No me atreví a responder y la Abuela aprovechó la oportunidad para decirme que los hombres no eran más que unos asesinos potenciales, cosa que yo puse en duda; afirmó que se dedicaban a hacer la guerra y a destruir a la humanidad, cosa que tampoco creí; asimismo dijo que podían perfectamente cocer el cerebro de uno de sus hermanos y devorarlo sin el menor desagrado, cosa que también puse en entredicho. Pero cuando afirmó que yo era hija de los espíritus, sentí tal escalofrío en mi espalda que mis dudas se esfumaron.

A lo lejos se iba coloreando el cielo y subía del río un fuerte olor. Un gran suspiro salía, por momentos, de la garganta de la Abuela al que respondían mis propias angustias. Se levantó tan bruscamente que creí que su columna vertebral iba a quebrarse como una madera seca.

–Soy tu padre y tu madre, soy tu espíritu hasta el día en que penetres en los secretos de la vida –dijo–. Sólo entonces tomarás el relevo.

Giró sobre sus talones y entró en nuestra choza, cerrando la puerta. Pasaba gente por la callejuela.

–Buenos días, Tapoussière, ¿te has lavado hoy?

Yo les hacía unos gestos que tanto podían querer decir que me importaba un pito como que se fueran al infierno y luego me ocupaba del fuego que había que atizar. Ateba, una vecina que tenía el gran honor de vivir con su madre, vino a hacerme una visita. Llevaba unos shorts rojos, un peto amarillo y unas sandalias de plástico blancas. Sus piernas lucían como ramas de fresera, así como también su cabello y, al verla, comprendí lo sucia que iba yo; pero no podía hacer nada por remediarlo. La miré de la cabeza a los pies y de los pies a la cabeza y, cuando me pareció suficiente, le dije:

–No es fiesta aún, que yo sepa.

–¡Los que llegan tarde se equivocan siempre, querida! –afirmó hundiendo las manos en sus bolsillos–. La fiesta es esta noche y yo simplemente me adelanto.

Hubiera querido preguntarle, ¿para ir adónde? ¿Para acabar como las chicas de Kassalafam, con siete críos a cuestas? La verdad era que sólo de ver a esas mujeres, se me iban las ganas de hacerme mayor, y no me hacía mayor.

–¿Qué vais a comer para las fiestas? –preguntó Ateba, con una boca tan abierta que me dio tiempo de contar todas sus caries–. Mi madre ha preparado pollo con maníes.

Reflexioné algunos segundos y luego dije:

–¡Pues pierna de cordero asada! ¡Alubias con pollo al aceite de cacahuete virgen! ¡Unas doradas ahumadas con salsa clara! ¡Un ngondo con pistachos y unos pescados ahumados!

Mientras le enumeraba esta imaginaria comida, vi a la Abuela alejarse, poco a poco, con la espalda torcida. Me dio tiempo de ver en sus labios apretados una terrible desaprobación.

–¿Adónde vas, Abuela?

–A reclamar el dinero de las ristras de mandioca. ¡Jean Ayissi me debe cuatrocientos francos!

–¿Puedo acompañarte?

Me hizo desistir con un ademán.

–¡Psst! ¡Psst! Es mejor que te ocupes de las ristras.

Luego miró delante de ella, como si nuestra felicidad se hubiera incrustado en un punto invisible del horizonte.

Reanudé la relación de las cosas que íbamos a comer.

–Macabo rayado al aceite rojo, abadejo salado al ndolé, mono estofado, cocodrilo meunière, facoquero en adobo, gusanos de los palmitos en salsa marinera y...

Y no sabía qué más. Fruncí el entrecejo, tratando de recordar inútilmente el nombre de los manjares más suculentos de los que había oído hablar. Pero no fue necesario, pues, al escuchar mis increíbles mentiras, un estremecimiento terrible recorrió a Ateba, como si el viento de mis embustes le hubiera hecho coger frío. Estalló un tornado en sus tímpanos y una deflagración traspasó su cráneo.

–No es posible –dijo mirándome de arriba abajo, con unos ojos negros atormentados. Unas nueces gruesas como mazorcas martillearon su cerebro y pulverizaron su pensamiento–: ¡No es posible!

Un gavilán que rondaba por los cielos, al ver la escena, dio media vuelta.

Se amontonaron nubes en sus ojos y, aunque era dos veces más alta que yo, me pareció tan diminuta que habría podido sostenerla en la palma de mis manos.

–¿No te encuentras bien, Ateba? –pregunté cogiéndola de la mano.

Ella se apartó, rechazando mi apretón de manos. Revolvió los ojos como una gata amedrentada. Sin chistar, se alejó y, justo antes de que hubiera doblado la esquina y desaparecido, hice como que me sacudía el polvo de la ropa.

«¡Que te zurzan! –me dije–. Tú, al menos, vas a poder comerte un ala de pollo, si no un muslo!»

Yo no era mentirosa, pero la experiencia me había enseñado a poseer mediante las imágenes lo que la vida me negaba. Cerraba los ojos y veía maravillas. Mi pobre cerebro, por simple placer, me hacía propietaria de una casa volante expuesta a todos los vientos, de buques trasatlánticos entre los zarzales y de vestidos adornados con diamantes. Me abría horizontes más allá de toda dimensión real y tan irracionales como un melodrama divino. Más tarde, cuando las otras chicas malbarataban el encanto de sus piernas, permitiendo así a los hombres plantar sus semillas entre ellas –que por fuerza tenían que incubar durante nueve meses–, yo tejía y retejía las tramas de una fabulación amorosa como, también más tarde, la novelista en que iba a convertirme bordaría una y otra vez en su máquina de escribir las situaciones de sus libros, esas situaciones que caerían bajo la implacable mirada de esos señores Sabelotodo que creerían aliviar así sus propios fracasos y exorcizar su impotencia.

De repente, se dejó oír un alarido angustioso, surgido de Dios sabe dónde, que atravesó mis oídos, como unas entrañas que se desgarran:

–¡Ella me ha robado mi sexo! ¡Devuélvemelo!

La voz gritaba tan fuerte que al punto aparecieron unas cabezas detrás de las ventanas:

–¿Qué pasa? ¿Quién ha robado la minga de quién?

Me froté varias veces los ojos, pero no estaba soñando. Soplaba esa brisa cálida que se alza en el horizonte, ese sol dualiano que nos hacía mentir ingenuamente y que podía transformar un simple cansancio en una impotencia absoluta, esos alaridos que desgarraban el aire desde la tierra hasta el cielo: «¡Ella me ha robado mi sexo!». Las putas, los falsarios y los asesinos fueron los primeros en acudir corriendo. Luego el rumor se volvió más denso. Unas mujeres corrían y se daban golpes en el pecho.

–¡Oh, Señor! –exclamaban–. ¡Le han robado la minga a no sé quién!

Me levanté y las seguí, asombrada y cautivada por estas historias de magia que encerraban a nuestra tierra dentro de un círculo mágico. Llegaron unos perros famélicos; los rostros ardían bajo el cielo abrasador; los ojos de azabache, las narices chatas, las mejillas tostadas, las sienes rugosas también se cocían; gruesas mujeres, con las axilas empapadas, se fundían al sol y apestaban.

Yo ignoraba adónde nos dirigíamos y mi sorpresa fue mayúscula cuando vi a la Abuela sentada delante de la choza de Jean Ayissi, su deudor. Jean Ayissi se agitaba, pataleaba.

–¡Santo Dios! ¡Me ha robado mi sexo! ¡Qué será de mí!

Cogió a la Abuela por la falda, con la que hizo un nudo por encima de sus muslos:

–¡Devuélveme mi sexo!

La Abuela forcejeó, tratando de liberarse de esa tenaza que apretaba su falda y se la remangaba por encima de los muslos.

–¡Suéltame! ¡Vas a dejarme desnuda delante de todo el mundo!

Yo estaba tan asombrada que me vi obligada a echar mano de mi ingenio por temor a perder la chaveta.

–¡Estáis locos de remate! –grité.

Traté de pasar por entre el gentío para llegar hasta donde estaba ella. Un hombre me cogió por las muñecas y me arrojó al polvoriento suelo.

–¡Éste no es lugar para una niña!

Una de las chicas de Madame Kimoto, que regentaba nuestro único burdel, no paraba de hablar, diciendo:

–Todo el mundo me conoce. Mi corazón es una rosa. Una rosa de Jericó que se abre a las fuentes de la juventud.

Se movía, a derecha e izquierda, haciendo tintinear sus joyas.

–Jean era normal hasta que llegó esa vieja.

Pestañeó y se cogió la muñeca.

–¡Como una tranca, palabra de honor! Ha salido a discutir con la vieja y, apenas ha entrado de nuevo en la habitación, ¡se ha transformado en un mustio caracolillo, os lo juro!

Sus compañeras de oficio reían y piafaban como caballos

epilépticos; unas esposas abandonadas, atormentadas por la evocación de una sensualidad de la que ellas se veían privadas, se preguntaban:

–Pero ¿qué coño va a hacer ella con eso a su edad?

Los asesinos daban vueltas alrededor de todos ellos.

–¿Dónde está la sangre? –preguntaron bostezando.

Se dirigieron a Ayissi:

–¿Con qué cuchillo te ha cortado la cosa?

De la sorpresa, la Abuela gritó:

–Pero ¿por quién me tomáis? Su sexo está ahí... ¡Yo lo único que estaba esperando es que me devolviera mi dinero, como debe hacerse cada treinta y uno de diciembre! ¡Soy una mujer honorable!

Los hombres, unidos por la solidaridad que impone una sexualidad desbocada, mostraban su desaprobación.

–¿Querrías decirnos adónde va a ir a parar el mundo si hasta las viejas se permiten tales desmanes?

Me gustaban mis conciudadanos. Y en otras circunstancias, habría compartido con ellos esta deliciosa crueldad. Pero la adversidad definía mi posición. No podía admitir que se tratara a la Abuela sin las guirnaldas de hiedra y las hojas de oro debidas a su rango.

–¡Pandilla de cobardes! –exclamé–. ¡Satán os castigará!

–Tú mejor cierra el pico –gritó un hombre–, porque si no, serás juzgada junto con tu Abuela.

–¡Pero si este hombre no ha tenido jamás sexo! –dije yo.

Con la misma rapidez con que una chispa prende fuego a la paja seca, mis compatriotas rompieron a reír y apareció el jefe como en una llamada a rebato. Éste se precipitó entre los protagonistas, con la lengua como la de un gato muerto.

–¿Hasta cuándo me harás sufrir así, Kassalafam? –gimoteó–. Escribano, hay que tomar declaración.

La Abuela se volvió, y escrutó a la masa de gente.

–¡Beyala B'Assanga! –exclamó.

Yo me adelanté a todo correr.

–Aquí me tienes, Abuela.

La Abuela parpadeó, llena de alegría y de sorpresa. Me estampó un beso en la frente.

–Vuelve a casa, hijita. Pase lo que pase, no olvides nunca que eres una Reina.

Su voz era acariciante. Sus ojos casi ciegos centelleaban. A nuestro alrededor, la gente nos fulminaban con la mirada porque estábamos usurpando las dulzuras de la hora del crepúsculo y los murmullos de la noche.

–Me quedo contigo, Abuela –dije yo.

La Abuela no insistió. El jefe volvió la cabeza a derecha e izquierda, como en busca de una reverencia. Como ésta se hacía esperar, se subió encima de una cacerola agujereada y miró de arriba abajo a la Abuela.

–¿No te da vergüenza, anciana? –interrogó.

–¿El qué? -pregunté yo, desafiando al jefe.

Me volví hacia el señor Ayissi.

–¡Este tipo es un mentiroso o un loco!

Ayissi se sobresaltó.

–¡No me mientas! –exclamó él–. Me ha dicho: «Ya verás lo que te pasa si no me devuelves mi dinero».

La Abuela, que estaba ya harta de todo aquello, le señaló con el dedo, con expresión salvaje.

–¡Puedes creer lo que te dé la gana, mustio caracol! ¡Devuélveme mi dinero y recobrarás tu virilidad!

La Abuela giró sobre sus talones y me asaltó una duda. ¿Y si fuese ella realmente culpable? Echó a andar y la multitud se hizo a un lado ante ella como el mar Rojo al paso de Moisés. Mis compatriotas eran tan respetuosos que no dijeron esta boca es mía, ni siquiera entre ellos.

–¡Jefe, jefe! –exclamó Ayissi–. ¡Espero que no la dejes marcharse así! ¡Esto es un crimen!

El jefe se esforzó por mover la lengua y emitió unos cloqueos. Cuando la Abuela estuvo lo bastante lejos, la gente se tocó sus respectivos sexos y se sacudió el polvo de los pies: «Yo me lavo las manos, como Poncio Pilatos».

Inconscientemente yo sabía que no dejaría de oír hablar de

esta historia durante mucho tiempo. Más tarde, mis manidas palabras trataron de reunir esos momentos para darle un nombre a la absurda ingenuidad. Y más tarde aún, comprendí que luchar contra el absurdo hubiera equivalido a darle la puntilla a África, a asesinar la magia y el misterio que dominan nuestra civilización con tanta seguridad como un fantasma colectivo.

Mi espíritu iba a lo esencial. ¿Y si la Abuela era culpable? Sentía prisa por reunirme con ella, para que me explicara cómo había conseguido semejante proeza. Un tren silbó a lo lejos. Una mujer pasó amenazando a su marido con el divorcio y una pensión alimenticia exorbitante si no le daba al instante dinero para comprar un kilo de carne para pasar el día. Un niño lloriqueaba.

–¿Quieres dejar de gimotear? –le pedía su madre.

No vi los dedos de los pies de la Abuela.

–Abuela –llamé yo, y algunas cucarachas del grosor de mi pulgar se metieron por entre las cacerolas.

Salí, di la vuelta a nuestro gallinero, y puse las manos haciendo bocina alrededor de mis labios.

–¡Abuela! –grité.

Se espantaron unos gallos y sacudieron sus plumas. Oí el agitar de sus alas, que se elevaban y batían ruidosamente en el polvo. Un hombre de cara caballuna vociferó:

–¡Aquí no hay quien duerma tranquilo, mierda! –y cerró su ventana, ¡pom!

Me senté a la sombra del mango. El sol pugnaba por abrirse paso por entre el follaje. Mis compatriotas sesteaban en medio de sus alegrías perversas. Yo reflexionaba. ¿Y si la Abuela fuese culpable? Me encontraba escindida en dos, como un coco, habitada en cada uno de los lados por emociones contradictorias. La imagen afectuosa que yo tenía de ella y aquella otra que me la presentaba como una ladrona de sexos me dejaban literalmente para el arrastre. Dos emociones orgánicas opuestas me procuraban un sentimiento a la vez de incomodidad y de bienestar, de alegría y de repulsión.

La Abuela apareció como por arte de magia delante de mí, pero yo debía de haberme adormilado, pues le oí decir:

–Beyala B'Assanga, despiértate.

Me incorporé. Estaba sudando, y ella también, pero la exhalación que desprendía su cuerpo era semejante a la emanación de los ancestros. Se agachó, abrió un envoltorio y sacó de él un pastel de maní con quisquillas.

–¿Dónde has encontrado esto? –pregunté yo, babeante y ansiosa.

–Come y no preguntes.

Se sentó y nos pusimos a comer en medio de un religioso silencio. La Abuela era demasiado ahorrativa para haber comprado aquel pastel. Alguien se lo debía de haber regalado, pero ¿por qué?, me preguntaba yo. ¿Por temor a que le robara su sexo?

–¿Abuela?

Ella me miró y frunció el entrecejo.

–¿Qué, pequeña?

Tuve la impresión de que acababa de tragarme un sapo, pues la Abuela había sacralizado su destino, tanto por lo que decía como por lo que no decía; o también porque impunemente podía despojar a un hombre de su fuerza viril. Me miró fijamente y rompió en una risa fulminante.

–¿Crees tú en semejantes absurdos?

Se levantó y comenzó a dar vueltas alrededor de mí, justo para demostrarme lo imponente que era su persona.

–¡Ese jodido Dios de mierda!

Y lo insultó como se insulta a una piedra o a un árbol contra el que se acaba de tropezar. De repente, levantó el bastón, y yo me llevé las manos a la cabeza a fin de protegerme. Ella golpeó en el suelo.

–¿Me quieres decir qué demonios iba a hacer yo con el sexo de un gaznápiro semejante?

¿Colgarlo tal vez como un espantapájaros en nuestro gallinero? ¿O hacer acaso un mango de escoba con él sobre el que ella cabalgaría en las noches de luna llena? La Abuela estrechó mi mano, a menos que no fuera todo lo contrario.

–Beyala B'Assanga... –dijo.

Luego se puso a contarme historias de otros tiempos, cuando ella era aún soltera, cuando sembraba el pánico entre las filas, hasta el extremo de que los hombres se ponían a desvariar como verdaderos alucinados. A mí me costaba horrores imaginármela de otro modo que como Abuela. Me imaginaba a su padre Assanga Djuli, Majestad de su Reino de Issogo, a quien unos poderes ocultos hacían posible que pusiera un pie en el suelo y que brotaran margaritas, amapolas y rosas, ¡del tamaño de tres crestas de gallo! Me gustaba ese período de su vida, esa África pastoral, esa África de su infancia que su voz desgranaba como una nana. Yo vivía el árbol de palabras, el baobad verde y majestuoso en época de lluvias, seco y desnudo en la estación seca; la carrera entre las oquedales de los lagartos de gran cabeza roja; los ancianos sentados delante de su puerta fumando en la cachimba; las mujeres majando eternamente cualquier alimento que hubiera en abundancia en aquella época.

–Que sigan creyendo lo que quieran –dijo–. Así al menos seremos temidas, pues, en la vida, hija mía, no pidas más que dos cosas a los seres humanos: una es que te sirvan de cerca y la otra que te teman de lejos. ¿Aún tienes alguna pregunta que hacerme?

Había respondido a mis angustias como un oráculo, antes de que ellas arraigaran en mí. Las cosas me parecieron tan simples que mi corazón se vació. El sol podía seguir abrasando el polvo y castigando nuestros cráneos.

Una mujer atravesaba el puente, tranquila, lentamente, y se acercó. Apenas estuvo a nuestra altura, me recorrió un estremecimiento, pues era fea hasta el punto de hacerle partirse a una de risa. ¿Su nombre? Gatama. Tenía una mirada triste y comprendí que venía a exponer sus enfermedades. ¿Qué le ocurría? ¿Reglas palúdicas con sofoquinas o gases lacrimógenos con hinchazones uterinas de vientre? ¿Hipos de repetición transaccional o ardores de ovarios de origen haitiano? La invité a sentarse en un banco, con una sonrisa.

–Siéntate, Mâ –dije.

Ella ignoró el asiento y comenzó a rascarse. La Abuela se anticipó a sus deseos ofreciéndole un bastón.

–Gracias –dijo Gatama cogiendo el bastón, que se restregó enérgicamente por sus partes más íntimas.

–¡Ay, esas condenadas filarias! –gimió–. Pero no estoy aquí por eso, no. –Se rascó la espalda–: ¡No estoy aquí por eso!

–Entonces, ¿qué es lo que te trae, mujer? –preguntó la Abuela.

–Es decir que...

Y repitió varias veces «es decir que...». Y como era incapaz de salir de su «es decir que...», la Abuela una vez más se le adelantó.

–Beyala B'Assanga puede oírlo todo –dijo la Abuela–. ¡Un día me sustituirá!

–¡Eso nunca! –exclamó Gatama, y su grito pareció terminante–: ¡Eso nunca!

–Nadie te ha pedido que vengas –dijo la Abuela–. O mi nieta asiste a esta consulta o... Lo tomas o lo dejas.

Se disponía ya a darse media vuelta, dejando escapar esos buenos milloncejos, pero qué digo, esos miles de millones que podía ganar cuidándola. Me abalancé hacia la Abuela, dispuesta a pedirle que cambiara de parecer, cuando Gatama me apartó, despechada.

–De acuerdo, acepto.

Luego, volviéndose hacia mí, amenazante, dijo:

–Si la cosa no da resultado, me devolveréis el dinero, ¿queda claro?

Era mi primera consulta y estaba excitada. Me puse una túnica blanca y me toqué el pelo con un turbante como si fuera la última princesa negra. Estaba armada de ilusiones y de apariencias engañosas. La Abuela había dicho que la sustituiría algún día. Se equivocaba de fecha. La estaba sustituyendo ya, puesto que me desplazaba con facilidad por esas regiones oscuras de la extralucidez.

–Te escucho –dije.

Gatama tosió, eructó, y después, en una lengua mecla de francés, inglés y habla popular, acabó vomitándonos sus maldiciones maritales. Su esposo la engañaba, tanto de día como de noche, con unas mujeres que le atiborraban de amor y de confituras. Mientras ella hablaba, unas simpáticas imágenes desfilaban por mi mente, celebrando esos harenes donde se exhibían curvas lascivas entre perfumes de incienso y el humo de los narguiles.

–No tienes más que exigirle acompañarle a ver a esas mujeres –dije yo irreflexivamente.

–¡Eso no! No podría soportarlo, me moriría como Romeo y Julieta en el acto y descubrirían mi cadáver, como el de un perro aplastado, patas arriba y el vientre hinchado.

La Abuela cruzó las manos sobre el pecho para no romper a reír.

–Te lo suplico –dijo Gatama cogiéndome de los brazos–. Ayúdame.

–Eso es lo que pretendo hacer, pero los espíritus se niegan.

De golpe, me soltó, cogió a la Abuela de los hombros y la sacudió.

–La Tapoussière no puede –dijo–. ¡Pero tú, anciana, sí puedes! Lo has hecho hoy sin ir más lejos.

Gatama la soltó, se puso en jarras y desafió a la Abuela.

–Precisamente quiero que me des el sexo de mi marido. Estamos casados ante Dios, y lo que Dios ha unido no puede separarlo nadie.

Mil preguntas bullían en mi mente y se agolpaban en mi espíritu. ¿Por qué los hombres sentían la necesidad de tener varias mujeres? ¿Qué diferencia había entre dos mujeres? ¿No eran acaso carnes gemelas? ¿Qué era el amor de un hombre? ¿Es que no se podía compartir decentemente? ¿Se podía privar a un ser amado de algo cuando el amor significaba entrega absoluta? Mientras me hacía estas preguntas, llegaron otras mujeres y se sentaron al pie de nuestra veranda. Entre ellas estaban Suzana, Gamtiera, Rachel, y otras muchas. Todas pertenecientes a la categoría de las culonas engañadas que yo apodaba «las asociadas en la desgracia». Desde donde yo me encontraba, las oía hablar con circumloquios.

–¡Ah, ese fibroma me molesta! ¡Hace dos días que no me deja pegar ojo! –decía una, mirando a las otras de reojo.

Hacían gala de su talento de oradoras quejándose de la seudoenfermedad que las llevaba a casa de la Abuela. Cada una aparentaba creer a las demás, mientras dentro Gatama seguía acosando a la Abuela.

–Qué es lo que quieres, ¿eh? ¿Dinero, acaso?

Deshizo un cordelito que llevaba atado alrededor de las caderas, y sacó un billete que arrojó delante de la Abuela.

–¡Aquí tienes! ¡Toma!

Mis ojos refulgían y la cachimba de la Abuela, presa de temblores, cayó al polvoriento suelo. Gatama, creyendo que nuestras reticencias tenían que ver con lo insuficiente de la suma que ella proponía, sacó todo cuanto tenía.

–¡Toma, tómalo todo!

Una infinita sonrisa volvió febrilmente tersas las carnes de la Abuela y borró la preocupación de mi rostro. Me llevé un dedo a los labios y recogí el dinero, que introduje en nuestra caja fuerte, una lata vacía de leche Guigoz. La Abuela me guiñó un ojo, imprimió a sus cejas las circunvoluciones precisas y, sopesando sus palabras, dijo:

–Mujer, voy a ayudarte.

Oí que le pedía cosas increíbles como para desanimar a cualquier otra mujer: el cordón umbilical de su marido; sus primeros dientes, los de leche, como aquí se dice; sus cabellos de nacimiento; sus primeras cacas y vómitos. Gatama suspiró y levantó los brazos al cielo.

–¿Dónde demonios quieres que encuentre yo todo eso? Pero si ni siquiera sé dónde nació.

Yo, escogiendo las palabras, les daba su correcto sentido.

–¿Quieres o no quieres recuperar a tu marido? –y apuntándole con el dedo, añadí–: ¡Entonces haz lo que te dice la Abuela!

Gatama se arrojó al suelo y se abrazó a los pies de la Abuela.

–¡Gracias!

Se volvió a levantar y toda la luz del mundo bañaba su rostro.

–¡Gracias! –repitió.

Se fue mientras retrocedía de espaldas, las manos juntas en actitud orante.

–Gracias.

Hasta que sus nalgas chocaron contra la puerta.

–¡Uyyy!

Abandonó nuestra morada.

–¿Qué ha pasado? –le preguntaron «las asociadas en la desgracia», inquietas.

Sin volverse, Gatama replicó:

–¡Todo va bien, todo va bien!

Las mujeres se miraron.

–Todo va bien...

Sólo más tarde iba yo a comprender hasta qué punto el amor podía hacernos arraigar en idioteces igual que esos papayos en los que una raíz produce varias ramas estériles. Otra culona suscrita al club de las esposas burladas entró para hacernos una consulta y le siguieron otras, y mendigaron la confiscación de los sentimientos y del sexo de sus esposos.

Cuando nos sentimos cansadas, la Abuela las echó con su bastón como si fueran menos que perras.

–¡Largo! ¡Volved a vuestras casas!

Pero ellas pidieron aún más cosas.

–¡Eres mala, requetemala! –dijo Gamtiera.

–No tienes corazón –añadió Suzana.

Por fin nos quedamos solas, y entonces le pregunté a la Abuela:

–¿Es verdaderamente de fiar lo que les has prescrito a esas mujeres?

–No –dijo–. Pero un médico no debe decir nunca que no sabe. Eso crea desconfianza entre la clientela.

Me prometí evitar esos amores que vuelven imbécil a la gente.

En los árboles, los pájaros se reagruparon para dormir. Las madres contaron a sus hijos. La rueda del destino giró y el día descendió a los pies de los hombres.

Cayó la noche y yo coloqué nuestra vasija sobre mi cabeza. La Abuela recogió su bastón, rendida, pero feliz al mismo tiempo porque había ganado su dinerillo, y eso era la única cosa aún del mundo cuyo olor ella reconocía a una legua de distancia. En esos casos arrugaba la nariz.

–¿Qué es lo que huele así?

Yo conocía sus motivaciones, porque sus sentimientos eran tan físicos que me identificaba con ellos.

La calle era un hormiguero de gente. Nuestras putas, nuestros ladrones se ponían en posición y acechaban al primer primo que pasaba. Nuestros buenos ciudadanos charlaban en medio de su simple alegría. Las vendedoras de pescado a la parrilla, de ngondo o de pastel de maní se peleaban por el lugar que les correspondía en la acera.

La Abuela y yo teníamos el mejor sitio porque gozábamos del privilegio que otorga la ancianidad. En esos momentos, mi alma de aristócrata encontraba en ese privilegio argumentos para establecer una falaz supremacía. Podía decir con absoluta legitimidad: *esos, ellos*, diferenciándolos de *nosotras*. Crecía desde dentro de mi nacimiento bastardo para convertirme en alguien importante en un abrir y cerrar de ojos.

Al otro lado de la calle, el tocadiscos de Madame Kimoto vociferaba un chachachá. Unos ociosos empinaban el codo, armando tranquilamente un gran pitote. Desde donde me encontraba, veía sus contoneos en medio del resplandor de neones y de rótulos parpadeantes.

–¿Por qué no hay una perfecta igualdad entre los hombres? –le pregunté a la Abuela.

Ella aspiró su cachimba y luego dijo:

–Cada destino está condicionado por el día en que fue concebido el individuo, por el humor de los animales y por la posición de los soles y los astros en el momento de su nacimiento.

De creerla, ella estaba predestinada a vivir todas esas miserias, a conocer los bajos fondos para darles luego un puntapié y volver a subir a la superficie como un saltador de trampolín. Sentía ganas de preguntarle cuál sería mi destino, pero no me atreví a hacerlo. Tenía miedo de descubrir un nido de víboras.

Haberlas las hubo. Pasaban viandantes sin comprar nuestras ristras. Se iban de francachela a alguna parte, a quitarse el sudor de todo un año con unas risas de rigor y unos placeres superfluos.

–Luego no faltarán cólicos de aquí te espero –predijo la Abuela–. ¡Y yo no estaré allí para cuidarlos, te lo aseguro!

Yo asentí y me puse a despotricar contra aquellos imbéciles que se gastaban todos sus cuartos en cosas tan absurdas en vez de comprar nuestras ristras de mandioca. De repente la Abuela interrumpió mis diatribas.

–Esta hija es la piel del diablo –dijo escupiendo una mascada de tabaco.

Miré a mi alrededor y vi a María Magdalena de los Santos Amores. Llevaba una falda tan corta y reluciente que cada uno de sus pasos hacía rezumar las pulsaciones sanguíneas del corazón, gota a gota. Vi el nacimiento de sus nalgas, pero ni rastro de ningún diablo.

–Abuela... Abuela –repetí yo en una exhalación–. ¿Y yo? ¿Soy un demonio?

La Abuela se pasó la lengua por los agrietados labios y yo creí que eran incandescentes.

–Tú eres diferente. ¡Espero que sepas poner freno a los impulsos de tu corazón!

Habló tan alto que las otras vendedoras interrumpieron su charloteo y nos miraron, más tristes que la misma muerte.

–¿Queréis que os hagan una foto? –inquirí yo.

Mamá Mado, que conocía a todos los balarrasas del barrio y que con sólo abrir la boca podía descubrir unos gonococos escondidos, sífilis futuras, furores uterinos e incluso los bebés que iban a ser concebidos, dio unas palmadas.

–Pero ¿qué modales de crápula, de imbécil o de suripanta son éstos, Tapoussière? –preguntó.

Sus amigas me repasaron de arriba abajo, horrorizadas:

–¡Es porque tiene la mala leche de su madre! –se limitaron a constatar.

–Os prohíbo hablar de mi madre –grité yo–. ¡No sois dignas siquiera de limpiar sus Adidas!

Defendí a Andela con palabras pomposas y enfáticas, como se defiende un principio en el que no se cree. Yo me sentía orgullosa de los aires que se daba, de su belleza trágica y de sus maneras extravertidas. Puse el máximo cuidado en evitar abordar su conducta amorosa que les habría servido de excusa para mostrar su hiel, su odio y su impotente acritud. La Abuela, eufórica por estos recuerdos, se callaba, lánguida, la mirada perdida como una drogadicta. Tomé sus manos arrugadas y las apreté con fuerza.

–No te preocupes, Abuela. Todo irá bien.

–¿Qué haría yo sin ti?

–Venderías ristras de mandioca –repliqué.

La silueta de la Abuela se enderezó como si fuera de acero. Yo recogí su bastón, di tres golpes en el suelo y alboroté a los transeúntes.

–¡Ristras de mandioca recién salidas del horno! ¡De calidad extra!

La Abuela se sintió tan feliz que se sumó a mis eslóganes.

–¡Comed mandioca y seréis más fuertes que la cerveza Beaufort!

Y volaron sus gargajos negruzcos de mascadora de tabaco y a mí se me fue el hambre.

De golpe, en medio de aquel guirigay, de aquellas músicas, de aquellas broncas, se oyó:

–¡Feliz año!

Y unos *pum pum*, unos *bom bom*, algunas explosiones. La gente se abrazaba, se besuqueaba, se chupeteaban unos a otros:

–¡Feliz año!

Aprovechaban para achucharse, enlazándose por la cintura.

–¡Feliz año!

También yo participé del regocijo general.

–¡Feliz año!

Besé a unos y a otros, les arrastré a toda clase de aventuras heroicas y enriquecedoras que este nuevo año nos depararía. Sin embargo, nada había cambiado en nuestra ínfima condición de desechos humanos. La Abuela petrificó sus glándulas y yo comprendí que dábamos chillidos como cerdos, que nos besábamos igual que moscas y que nuestra felicidad era un puro camelo. Cuando se cansó de menospreciarnos, se puso a sorberse ruidosamente los mocos que chorreaban de su nariz.

Recogí mis cuadernos y fui a colocarme bajo la farola. El *modisto-sastre de casa Dior e Yves-Sin-Laurent* se debatía como siempre en su máquina de pedal, y a su alrededor, a modo de aureolas, resplandecían trozos de tejidos amarillos, rojos, verdes o azules.

–Somos los más esclavizados de este barrio, Tapoussière –me dijo al verme abrir el libro. Dirigió una mirada altiva hacia la multitud y jadeó–: ¡Ya saldremos de ésta!

¿Salir de ésta? ¡No tenía ni idea! Ésa era la razón de por qué yo recitaba las *Mamadou y Binetta van a la escuela* en voz alta. Me lo aprendía todo de memoria. No tenía destino, pero, como decía el Maestro, «hay que forjárselo». Tenía fe en esas palabras como un enfermo en Jesús, pues eran la prueba de nuestra fraterna igualdad. Aprendía, y mi sangre se purificaba. Leía, y una luz celeste cruzaba por mis ojos. Escribía, y mis dedos se transformaban en otros tantos mundos que danzaban. Más tarde seguiría escribiendo, cada vez para volver una página de vida, al menos mientras durase la escritura, para poner definitivamente etiquetas a lo indecible.

Me desgañité tanto que hubo un momento en que los

juerguistas pararon de pavonearse de felicidad para escucharme. Los más intelectuales de entre nosotros me rodearon.

–Feliz año, Tapoussière –me dijo el señor Mitterrand, que había suspendido doce veces su diploma de estudios primarios porque los ricos no querían que los pobres se espavilasen.

Sus colegas se colocaron bien los trajes negros que les hacían asemejarse a unos viudos crónicos.

–¡Feliz año, Tapoussière!

Entreabrí los labios.

–¡Feliz año, hermanos míos!

Recompuse mi gran boca: «¡Feliz año!», porque había que demostrar que se compartía la alegría y el buen humor generales. Y funcionaba, pues aquella buena sociedad sudaba a raudales en sus trajes y apestaba tanto como treinta y seis cuartos traseros de buey.

–¿Te dedicas a estudiar incluso en un día de fiesta como éste? –me preguntó el señor Mitterrand–. ¡No es propio! ¡No es propio! ¡La explotación capitalista esquilma a nuestra sociedad!

–*Time is money* –dije haciendo mía esta frase que había oído en la radio y que me confería aires de sabihonda.

Sorprendidos, sus cejas se alzaron unos tres centímetros, cosa que yo aproveché para dejarles definitivamente asombrados.

–En Estados Unidos, que yo no conozco personalmente, el tiempo es un valor. Tú das tu tiempo y te dan dinero a cambio.

–¿Quién te ha dicho eso?

Me encogí de hombros.

–Lo he oído por la radio.

Ellos rompieron a reír.

–¡No tiene un pelo de tonta! –dijo el señor Pasteur mirando al cielo–: ¡Pero que ni un pelo de tonta!

El señor Leclerc se marcó un saludo militar.

–¡Su Majestad tendrá éxito!

Yo estaba orgullosa. Mis sentidos bullían como cuando tomaba la hostia, el cuerpo del padre que no tenía. Pero en vez de seguir trenzando coronas de rosas para Mi Majestuosa Inteligencia, se pusieron a hablar de álgebra, de ecuaciones y de la inmoralidad de Einstein, que les había ganado por la mano al crear su teoría de la relatividad. Hablaban alzando sus dedos al cielo como para decirle al Señor: «¡Tú, Dios todopoderoso y desconocido, quédate donde estás! ¡Las cosas del mundo no son ya asunto tuyo, puesto que eres injusto!».

De creerles, habrían podido fabricar la electricidad para alumbrarnos, la penicilina para curar nuestros gonococos, pollos con hormonas para alimentarnos, pesticidas contra los mosquitos que nos desvalijan de nuestros glóbulos rojos. También podían perfectamente enderezar nuestras columnas vertebrales así como blanquear nuestros dientes, producir un montón de objetos, desde zapatos a camisas, desde cristales a cacerolas, que buena falta nos hacían. Y yo veía sus piernas mugrientas ponerse en situación, mientras remedaban los andares majestuosos de los grandes de este mundo.

–¡Con los conocimientos que tenéis –dije yo– habríais podido ser algo más que unos simples boys, unos chóferes de sus excelencias o unos limpiabotas!

–¡Tú sí que sabes cosas! –exclamaron ellos, boquiabiertos.

–¡Por supuesto! Ha sido mi Abuela quien me las ha enseñado. El que la sigue, la consigue. ¡Así como Jesús escapó del fuego eterno, también vosotros nos salvaréis! ¡Pues no es justo saber cosas y no hacer nada para que toda la comunidad se beneficie de ellas!

El señor Philippe Toussaint se ajustó la corbata, y luego se expresó en los siguientes términos:

–¿No serás por casualidad una espía? –me preguntó, con sospecha.

–No exactamente –dije yo–. Me estaba preguntando si conociste a Andela.

Rompió a reír, y levantó los brazos como si quisiera atrapar la luna.

–¡Y me pregunta si conocí a la bella Andela!

Y sus ojos, reducidos a dos ranuras, arrojaban destellos. Sus amigos reían también.

–¡Pero si todo el mundo ha conocido a AN-DE-LA!

Sus gruesos labios hacían muecas. Los momentos pasados con Andela se volvían a tal punto físicos que sus nalgas se excitaban y sus lenguas se volvían estropajosas.

–¡En tal caso, todos vosotros sois mis padres!

–¡Oh, oh! –exclamaron ellos, patidifusos.

El señor Mitterrand recobró la compostura, levantó mi barbilla, me escrutó y luego dijo:

–¡Si fueras mi hija, Tapoussière, serías otra cosa!

Me miraron con piedad.

–No eres la única que no tiene padre –me dijeron para aliviar mi corazón apesadumbrado–. ¡No tiene ninguna importancia! –añadieron con una voz falsamente neutra.

Me dejaron.

Me quedé sola con mis cuadernos, y la raza humana me inspiró asco. Opté por quedarme mirando cómo las moscas restregaban sus patas sobre los pasteles de maíz. Al dar las tantas, la calle se vació. Las putas, agotadas, regresaron a sus casas; las vendedoras recogieron sus cosas; los amigos de lo ajeno se fueron con sus raterías a otra parte. Nosotras esperamos aún un largo rato, hasta que la Abuela oyó vocear a un borrachín.

–¡Feliaño!

Ella presintió que era el último transeúnte.

–¿Qué le pasa a la gente que se va a dormir? –pregunté yo, chasqueada.

La Abuela se encogió de hombros. Dormir era algo que me preocupaba, que me volvía loca, porque temía que la vida continuara sin mí. Contamos las mandiocas. Recogí nuestra vasija. La Abuela, su bastón.

–Érase una vez... –comenzó diciendo, y yo me planté la vasija sobre la cabeza.

Ella echó a andar delante de mí, ayudándose con su tercera pierna. Yo andaba a pasitos cortos y rápidos detrás de ella, sin perder ni ripio, escuchando. Dejamos la Avenida Principal y tomamos por el sendero que conducía a nuestra choza. La noche era negra como vientre de bruja. Unas luciérnagas volaban de copa en copa. La Abuela se detuvo y se puso a contemplar las estrellas.

–¿Las has contado ya? –me preguntó tan bruscamente que creí estar soñando.

–No –dije.

–Pues haces mal –repuso–. Así sabrías cuántos seres humanos hay en la Tierra, pues a cada uno corresponde una estrella.

Abrí los ojos: ¿tantos seres humanos sobre la faz de la Tierra como estrellas? Esa idea trastocó todos mis pensamientos. De repente no hubo ya ni cielo, ni mar, nada más que ella, poseyéndome por entero.

Tendí la mano hacia una estrella, y doblé los dedos sobre mi palma a fin de rodearla. Una luz se infiltró en mi corazón e irradió en mi cerebro, como una erupción volcánica.

–Beyala B'Assanga –murmuré–. La llamaré Beyala B'Assanga –le confié a la Abuela.

–¡Tu estrella te pertenece, hija mía! Nadie podría cambiar tu destino. ¿No te ha enseñado esto tu Maestro?

–No –dije.

–Lo sabía –dijo ella triunfante–. ¡Mis conocimientos no se encuentran en ningún manual!

Que los fanáticos de la maledicencia no vean nada de Proust en ello, pero durante mucho tiempo he estado despertándome temprano, creyendo que, al ser la primera en contemplar el fulgor del sol detrás de los árboles, ganaría por la mano a la mala suerte.

Al día siguiente, primero de año, cuando los astros continuaban aún su loca carrera en medio de las tinieblas nocturnas, abrí los ojos y vi encenderse las lámparas una a una tras las ventanas cerradas. Oí voces de hombres, agitadas o apremiantes:

–Suzana, ¿dónde has puesto mis sandalias?

–¿Está preparado mi baño?

–Date prisa, que voy a llegar tarde.

Sin hacer ruido, pasé por encima de la Abuela y salí de casa. Un perro ladró. Maulló un gato. La tierra desprendía olor a mojado. Recogí un cubo, rodeé nuestra choza y tomé la dirección del pozo.

–¡Oh Camerún, cuna de nuestros mayores!

Ese mismo día era el desfile. Tal vez me encontraría a mi padre, compartiríamos la misma locura de lo heroico, de lo novelesco, de lo grandioso, un padre por excelencia que representaría para mí magníficos dramas. Mis pies se posaban completamente planos en el suelo para captar las energías benéficas que me protegerían a lo largo de todo aquel día excepcional. Estaba sumergiendo mi cubo en el pozo, llena de un ansia de vida burguesa, cuando una voz de mujer hizo temblar las estrellas.

–¡Me mataré y llevarás mi muerte sobre tu conciencia!

Dejé el cubo y por una puerta entreabierta vi a Thérècita, una mujer gruesa como para saciar el apetito de un ogro. Le gritaba excitada a un hombre tumbado sobre una estera, vestido con una sucia camiseta blanca. En la luz, uno de sus perfiles era negro, el otro incandescente. Unos hilillos de sudor corrían por su frente.

–¡Eres un guarro, Eliasse! –gritó Thérècita propinándole un puntapié–. ¡Debería darte vergüenza beberte todo mi dinero sin ninguna consideración!

Eliasse se levantó y cogió su botella, que sacudió ante sus narices tan violentamente que creí que iba a matarla. Me precipité en medio de la escandalera haciéndome un roto en las bragas, que se me caían a pedazos.

–¡Alto! –grité yo.

Ellos me miraron y su emoción al verme fue tan grande que erguí la cabeza.

–¡Es un sacrilegio matarse en un día de fiesta! Qué pensarán los astros, ¿eh?

Mis palabras les dejaron tan desconcertados que Thérècita se tragó su cólera, reprimiendo sus exabruptos, su tristeza, llorando ante la perspectiva de un futuro desastroso.

–¡Y pensar que es una niña la que nos llama al orden!

Repitió estas palabras hasta que las paredes se impregnaron de ellas y las rezumaron. Eliasse observó a su mujer como un rey hecho una fiera.

–Donde la locura se cura es en el Hospital de la Quintinie, ¿de acuerdo?

Luego salió titubeando.

–¿Has visto? –preguntó Thérècita poniéndome como testigo–. ¡No me dirás que esto es un hombre!

Eché una ojeada a duras penas a las míseras sillas hacinadas desordenadamente en un rincón, a las cacerolas apiladas.

–¡Esto lo arreglo yo! –dije, saliendo a mi vez.

Era ya casi de día y un gallo cantó. Gruñí para mí:

–Como no tienen hijos, por eso...

Me sentía valiente y llena de una necesidad de normalidad según la moral imperante bajo casi todos los cielos. En medio de la claridad naciente, vi a Eliasse. Estaba apostado contra un mango, en el patio. Parecía tan triste que puse mi mano sobre la suya.

–Y a ti, ¿qué cuerno te pasa? –me preguntó, agresivo–. ¿Qué he hecho yo para merecer a una mujer semejante? –gimió de repente agachando la cabeza.

Luego, como si de repente reparase en mi presencia, añadió:

–¿Qué quieres de mí?

–Me gustaría saber si te gustaría una hija como yo.

Esperé su respuesta, mi corazón latía violentamente en mi pecho como una vaca loca. Un ligero viento levantó un poco de polvo y luego mucho más.

–¿Por quién me tomas? ¡A mí me gustan las mujeres de verdad! Si a tu edad quieres ya...

Se puso a despotricar contra las putas y las enfermedades infernales: unas blenorragias de órdago que no se curaban más que estirpando los ovarios; gonococos fulminantes que esterilizaban las trompas; abandonos de madrugada que acababan infaliblemente con los lazos afectivos. ¿Era ésa la vida que quería yo llevar?

Sus palabras eran descosidas, como hojas que revolotearan con la tormenta, lo que no era óbice para que se alzasen en mi espíritu tendiéndome una emboscada.

–No es eso lo que quería decir –comencé.

–¡Alto o grito! –vociferó él.

Era demasiado tarde. El viento había llevado su voz hasta Thérècita y la devolvía nuevamente crispada y gritona.

–¿Qué pasa aquí? –Sus ojos pasaron de mí a su marido–: ¿Por qué tienes que molestar a esta niña?

Eliasse levantó sus hombros, guasón.

–Ésta ¿una niña? –dijo con una sonrisa–. Si tú supieras, querida mía... ¡Dicho sea entre nosotros, no tiene mal gusto!

Y su rostro de macho se puso radiante.

Thérècita escupió y me amenazó con las peores catástrofes.

–¡Toda la ciudad se va a encargar de tu caso, pequeña perversa! –dijo ella.

Un escalofrío me recorrió la espalda y me sentí condenada al naufragio en esta tierra donde el sol transfiguraba las cosas y las magnificaba. Veía ya mi nombre en unas canciones libertinas entre risotadas y miradas cínicamente afrodisíacas. Mis ojos llamearon.

–¡Ni una palabra de todo esto a nadie o vas a ver! –amenacé–. ¡No olvides que acabo de salvarte la vida!

–¡Sí, para robarme a mi marido!

–¿Un alcohólico semejante? –dije–. ¡Tssh, tssh! ¡Precisamente lo que yo quería era ayudaros a que fuerais una pareja feliz adoptándome a mí!

–¡Tú lo que querías es que Eliasse te adoptase en su cama! –se burló Thérècita.

–¡Te equivocas! Soy sincera y si alguna vez se te ocurriera hacerme algún daño...

Jugué con las supersticiones, las creencias y las mentiras que a su manera regían nuestras sociedades. Y no me equivoqué, porque Thérècita imitó la danza del vientre, agarró a su marido del pantalón y le dijo:

–Ven.

Luego lo arrastró en una intemperancia lírica.

Fui a sacar agua, inclinada ante la escudilla derramada de mis esperanzas. Un oscuro olor invadió mi olfato, viscoso y persistente. Aquel relente había de encadenarse con unos recuerdos dolorosos que iban a violar sarcásticamente mis risas. Más tarde, al describir mis personajes, sus reacciones, angustias y tristezas, logré identificarlo con la minuciosidad de un investigador, lo escudriñé y lo apodé «espantavidas».

Me faltó valor para tomarme un baño y tuve una idea brillante: untarme con aceite de palma. Lucía como un chorro de oro y la humedad escapaba por todos mis poros. Me puse una falda plisada de color gris y una blusa blanca, uniforme de nuestra escuela. ¡Me acuclillé bajo la veranda y respondí a los «¡Buenos días, Tapoussière!» que me dirigían mis compatriotas. Exhibía una careta de alegre despreocupación que se me caía tan pronto como mis interlocutores desaparecían. La silueta del día tomó forma bajo mis ojos y la piel de mi sufrimiento se ensanchó.

–¿Por qué nadie quiere adoptarme? ¿Qué tengo yo que sea tan distinto de las demás?

Más tarde comprendería que, entre nosotros, el futuro no se lee realmente más que en las manos de los chiquillos. Pero cuando el sol barrenó la techumbre de las casas y lo desorbitó todo, la Abuela salió de las cavidades de su sueño y creyó haberse equivocado de persona.

–Ah, ¿eres tú, Beyala B'Assanga? –me preguntó.

–No es hora aún de ir de entierro, Abuela. Necesito cien francos para mis buñuelos.

–¿Buñuelos? Pero ¿es que no ves tu estatura? ¿Qué va a decir la gente? ¿Que no te alimento lo bastante? Y es por culpa del pan y los buñuelos que no te dejan ir normalmente de vientre.

–Tú estás todo el tiempo estreñida y no pruebas ni el pan ni los buñuelos.

–El alimento del espíritu es el mejor que existe...

Tomó un peine y me peinó los cabellos. Luego me hizo cuatro trenzas.

–¡Los pájaros del cielo no cultivan ni cosechan, y sin embargo bien que viven!

Me cogió los pies entre sus dedos atrofiados por el reumatismo y contó cada uno de sus huesos.

–¿Quieres lo que sobró anoche?

–No, gracias.

Estaba decidida a culpabilizarla, negándome obstinadamente a comer el plato de tallarines, aunque en aquella época yo prefería ser Sancho Panza, tener la barriga llena, estar gorda, blandita, pesada y sensual. Me planté en mis trece y acerté haciéndolo, pues la Abuela sacó su caja de leche Guigoz. Mi corazón se puso a latir aceleradamente y me invadió una ternura especial. Miré su alta estatura, su bonito rostro surcado de arrugas. Sentí ganas de tocar sus párpados, de seguir con el dedo sus labios cortados que mordisqueaba, sin llegar a saber si aquel impulso estaba provocado por el dinero que ella me daba o por ella misma.

Era ya la hora de ir al desfile.

Salí a las calles y, por todas partes, las gentes se hacinaban como borregos y corrían en pos de los honores. Iban con sus uniformes confeccionados deprisa y corriendo por nuestro *modisto-sastre de casa Dior e Yves-Sin-Laurent.* Éstos estaban hechos de cualquier manera y se deshacían por todas partes. Los dobladillos de las faldas se descosían y las cremalleras se soltaban porque las medidas habían sido tomadas esa misma mañana. Pero era el Día del Pueblo y estaban permitidas un montón de cosas, tales como ir por el medio de la carretera charlando sin preocuparse de los camiones; atravesar la vía del tren sin prestar atención a éste; o menospreciar, al ser los últimos monos, a los que no llevaban uniforme, que estaban plantados a lo largo de las aceras y que nos miraban, cayéndoseles la baba de envidia. El señor Atangana Benoît, medio estrangulado dentro de su uniforme rosa de jefe, sacudía su brazo morcilludo y no paraba de gritar.

–¡Eso os enseñará a no participar en las actividades creativas de nuestra tan hermosa Nación!

En medio de la hermosa República en pleno regocijo, vi a María Magdalena de los Santos Amores. Era ella quien llevaba el banderín de colores de nuestra escuela, porque había aprendido a darse aires antes incluso de nacer.

–¡María Magdalena! –grité yo.

–¿Es conmigo con quien quieres hablar? –dijo girando sobre sus plastificados talones.

–¡Contigo, por supuesto!

–Quién sabe, quién sabe –dijo ella pensativa–. El otro día vi pelos en tus axilas.

–No lo he hecho expresamente –repliqué yo–. Han salido solos.

–¡Vamos! –dijo ella, y posó el banderín sobre uno de mis hombros.

Yo tenía un aspecto terrible y solemne. El viento, que tenía a popa, agitaba el banderín. Caminaba al lado de la muchacha más bonita del barrio, la que se quitaban de las manos, se disputaban, se robaban unos a otros o se pedían prestada, y era el mismo destino el que daba un giro a mi favor. Sus tetas se movían a ritmo cadencioso y se le veían los pezones a través de la blusa transparente. Yo andaba en medio de la carretera, rígida y erguida. Meneaba el esqueleto y todos los imbéciles seguro que debieron de pensar que iba con tacones de aguja.

–¡Pero si es la Tapoussière! –exclamaban mis compatriotas, admirados–: ¡Lleva el banderín!

Una nube de niños emboscados en los rincones me miraban con asombro.

Pero yo no me amilané por ello. Era mi desquite de esas gentes que me rechazaban. El señor Etienne Fonkam, el Fayeman, especialista en la reventa de falsos billetes de banco, un hombre huesudo, nos abordó, dispuesto a hilar muy fino:

–¡Hola, chicas! Decidme una cosa, ¿tenéis tiempo que perder para ir al desfile?

–¡Nosotras somos ciudadanas honradas! –le dije yo.

El señor Fayeman tenía tan en cuenta mi opinión como la de los últimos pichones que había desplumado. María Magdalena de los Santos Amores le gustaba. Su cabeza de avestruz desplumada estaba inclinada de manera que sus ojos se hundían entre los senos. Se puso a hablar y yo comprendí que era un hombre muy ocupado. Mientras hablaba, sacó al descuido de su bolsillo un fajo de billetes y el corazón me dio un vuelco.

–¡A pesar de todas mis importantísimas ocupaciones –dijo– estoy dispuesto a llevarte a bailar al *Queen*!

–No tengo tiempo –dijo zalameramente María Magdalena.

¿Cómo podía rechazar aquella bicoca? ¡Yo me habría comprado tantas cosas con semejante dinero! Unas sandalias para ir de excursión, billetes de avión en primera clase, vestidos con velo de morisca. No pensaba en la reconstrucción de Issogo, repleta de extrañas historias que más tarde me vería obligada a desentrañar. La Abuela habría leído en mi espíritu y me habría tratado de asesina despiadada de su reino, a menos que aceptara que yo no era como los niños de Kassalafam, que soñaba con otro lugar que se empeñaba en rechazarme como sus Altezas los filósofos. En ese momento, la reacción de María Magdalena de los Santos Amores me sorprendió tanto que se me cayó el banderín de las manos.

–Eres incapaz de tener cuidado –dijo María Magdalena de los Santos Amores–. ¡Acabas de mancillar a Camerún!

Mi patriotismo me ahogó y sentí ganas de llorar. Me estaba agachando, triste por haber mancillado a mi país, cuando el señor Fayeman me preguntó:

–¿Tú te lavas las bragas o qué?

–Eso no es asunto tuyo.

Y como siempre tuve el recato de no pararme demasiado rato en compañía de hombres de mala ley, hice lo que convenía hacer, o sea, coger mis bártulos y largarme. La guapa María Magdalena de los Santos Amores me siguió, dejando al señor Fayeman estupefacto, con cara de pasmo. Me volví y rompí a reír, pero recibí un violento golpe en las posaderas. Me vi por los suelos sin saber qué me había pasado.

–¡Está muerta! ¡Está muerta! –berreaba María Magdalena.

La cabeza me daba vueltas, unas campanas resonaban en mi cerebro. Abrí los ojos y vi zapatos, Salamander, alpargatas, zuecos, nada más que zapatos. Había gente que se insultaba, que hablaba cacofónicamente, y todo eso desfilaba en medio de una gran polvareda. Acababa de sufrir un grave atropello.

–¿Te has hecho daño? –me preguntaron.

Yo sacudí la cabeza.

–¡No!

Tenía las rodillas despellejadas, pero estaba tan asustada que no sentía el dolor. Un hombre me tendió la mano y me ayudó a levantarme en medio de los gritos, de las llamadas y de todas aquellas personas que me impedían ver lo que había estado a punto de mandarme al otro barrio: ¡una bicicleta! ¡Había sido una bici, con el cuadro todo herrumbroso, que pertenecía a un señor que decía llamarse Poulidor porque se consideraba el ciclista más grande de todos los tiempos! Por otra parte, ahí estaba, con su semblante color ciruela, y sostenía su vehículo con una mano.

–¡Ha estado a punto de echar a perder mi bici! –se lamentó. Con la camisa desabrochada mostraba su pecho escuálido y lampiño–. ¿Es que no puedes mirar por dónde andas? –me rezongó–. ¡La carretera es para los automovilistas!

Acarició el manillar, suavemente, como si hubieran sido los pechos de una mujer.

–¡Desde que la conduzco, no he tenido un solo accidente!

María Magdalena de los Santos Amores se deshacía en atenciones conmigo y yo estaba como fuera de mí, tan emocionada que era incapaz de decir esta boca es mía. Alisó mi falda, escupió en un pañuelo y limpió la sangre que manaba de mis heridas.

–Te corresponde a ti presentarle disculpas –le dijo a Poulidor–. ¡Has estado a punto de matarla!

–No se ha muerto, ¿verdad? –dijo mirando con desdén el señor Poulidor.

Yo no representaba nada y el señor Poulidor no me pidió perdón. Me habría podido morir sin provocar las lágrimas más que de una sola persona, la Abuela. Sin mirarme, Poulidor montó en su bici. Vi sus largas piernas alejarse pedaleando, mientras sus gruesos labios rojos soltaban:

–¡Dejad paso al gran Poulidor, supercampeón ciclista de todos los tiempos!

Sorprendido por su voz, que quemaba como unas castañas calientes, la gente se hacía a un lado. Muy orgulloso, el señor Poulidor serpenteaba entre el gentío. De repente, oímos: ¡chuchuchú!

Era un tren que llegaba vomitando humo. A los niños les entró miedo y aplaudieron.

–¡Ngolo, el tren de la muerte está ahí!

Las mujeres se olvidaron de mí y saludaron a los viajeros.

–¡Buen viaje! –vociferaban porque sabían que tenían bastantes posibilidades de dar con sus huesos en el río Sanaga.

Ngolo, el tren que unía Douala con Yaundé, era así. Cuando no descarrilaba, o no llevaba tres días de retraso, atravesaba nuestro barrio sin paso a nivel y aplastaba a algún que otro imprudente. Pero aquel día, apenas nos dio tiempo de alertar a todo el mundo cuando una cabeza salió volando por los aires y vino a estrellarse, ¡pataplún!, a nuestros pies. Yo estaba en las nubes, trastornada por mi propio accidente, pero mis ojos se agrandaron cuando aquella cabeza, que no era otra que la del señor Poulidor, el ciclista que acababa de arrollarme a mí sin pedirme perdón, nos sonrió y dijo:

–Ha estado a punto de cogerme, ¿eh?

¿Una cabeza cortada que hablaba? ¡Pues sí! Eso me traumatizó. Fue preciso que el tren parara más lejos, que un buen hombre replicara a la cabeza del señor Poulidor: «¡Te ha pillado bien, amigo!», para que yo tomara conciencia de la catástrofe.

El señor Poulidor estaba partido en dos. Tenía las entrañas al aire. Un vientecillo agitaba sus órganos. El espectáculo era tan horrendo que se inclinaban unos sobre otros para no perderse detalle.

–¡Pero qué cosa más desagradable!

Una mujer rompió a llorar.

–Aunque no conozco a este tipo, llorar hace bien. –Se sonó ruidosamente–. ¿No es acaso cierto que las lágrimas lavan el cuerpo?

Yo no tenía la menor idea y dije:

–¡Ha estado en un tris de matarme y al final resulta que es él quien la ha palmado! ¡Así es la justicia divina!

La gente me empujaba, me pisaba.

–Qué es la vida de un ser humano, ¿eh?

Unas *bizims bé María*, religiosas de Su Santísima Virgen María, respondieron a esta pregunta existencial señalándome con el dedo:

–¡No era tu hora aún, Tapoussière! Pero él...

Se arrodillaron y sus largos hábitos azules ondearon al viento. Entonaron unos avemarías que producían efectos extáticos mientras yo no cesaba de repetir:

–¡Es la justicia divina!

Estaba orgullosa de mí. Ese azar desgraciado me permitía ponerme bajo la protección de Dios a falta de la de los hombres para quienes parecía que yo no tuviera destino. María Magdalena me miró con ojos tiernos de Dama de las Camelias.

–¡No eres nada tonta tú! ¡Poulidor te ha arrollado con su vehículo y ha sido él quien la ha palmado! ¡Pero que nada tonta!

El asesino pagaba el precio de la víctima, veredicto que sería retomado por mis compatriotas en los siguientes términos:

–¡El espíritu de sus mayores la protege!

Y también cuando logré aprobar los exámenes:

–¡El espíritu de sus mayores la protege!

Las leyes del azar, los resultados del trabajo ya podían removerse vivamente como unos gordos ratones verdes, que a ellos les importaba un bledo:

–¡El espíritu de sus mayores la protege!

Fue entonces cuando el conductor del tren tuvo la maravillosa idea de unirse al grupo. Ahí estaba bajando de su tren, corriendo, y el viento henchía su camisa amarilla y le hacía asemejarse a un velero. Tan pronto como estuvo a la altura de la aglomeración, puso sus manos en bocina y dijo: ¡chuchuchú! Nos entró miedo y echamos a correr.

–¡Llega un nuevo tren!

–¡Tranquilos, muchachos! –exclamó el conductor–. ¡Que no hay ningún tren!

Me di la vuelta lentamente y le miré de arriba abajo.

–¿Estás loco? ¿Cómo puede decir que no hay ningún tren cuando yo misma he oído su pitido?

–¡Porque yo soy él!

–¿Estás seguro de ello?

Asintió. Desconfiada, me agaché y pegué mis oído a los raíles. Permanecí así unos minutos, pies contra cabeza, y dije con una sonrisa:

–¡Tranquilos, muchachos, que no hay ningún tren!

La masa piafante volvió sobre sus pasos. De nuevo se concentró gente de todas partes.

–¡Tranquilos, muchachos, que no hay ningún tren!

En medio de todo ese guirigay, una abeja se puso a revolotear y sus alas amarillas trazaron minúsculos arco iris. Se posó sobre el cuello de Thomas Djinké, un culi.

–¿Quién ha dicho que llega un tren? –preguntó con voz tonante mientras una gruesa hinchazón rojiza aparecía en su cuello y crecía a ojos vista.

–¡Es él! –dijo señalando con el dedo al conductor.

–¡Oh, oh! –exclamó el conductor–. ¡Ha sido por tu culpa por lo que ha muerto Poulidor! ¡Le has trastornado!

–No rehúya sus responsabilidades, señor –dije yo.

Como un solo hombre, la multitud se volvió hacia el conductor.

–¡Sinvergüenza! –gritó, y yo me sentí feliz.

Me gustaban esas grescas, esos insultos, siempre y cuando no tuvieran nada que ver conmigo. Estaba hecha ya una provocadora, una jodida lianta, una creadora de situaciones rocambolescas que exaltaban mi imaginación. Hubo algún que otro pataleo.

–¡Descerebrado!

Yo sudaba la gota gorda y me movía y mi banderín cubierto de polvo se agitaba como diez brazos.

–Cortémosle el cuello –grité yo.

Las *bizims bé María* se santiguaron.

–¡Este hombre es el mismísimo diablo, enviado por Lucifer para perturbar las plegarias de Su Santidad católica!

Corrieron en busca de unos baldes de agua, que arrojaron sobre la multitud para purificarla. Uno con cabeza de hombre de Cromagnon se miró las ropas mojadas y cogió tal berrinche que se remangó la camisa.

–Tenemos que resolver esto de hombre a hombre –le dijo al conductor.

–No pienso ensuciarme –suspiró éste, muy molesto.

–¡Cobarde! –gritó la multitud.

–¿Me tratáis de cobarde a mí que conduzco el Ngolo? –preguntó.

–¡Nadie quiere palmarla en ese coche fúnebre tuyo! –exclamé yo.

–¡Pelea si eres hombre! –gritó una mujer, en quien reconocí a la señorita Etoundi.

Ella enseñó su muslamen, parpadeó y se acarició la peluca.

–¡Si quieres llegar a ser mi hombre, bátete, pues no permito que ningún cobarde me ponga la mano encima!

El conductor miró a aquel joven putón y una repentina juventud palpitó bajo su piel. El amor prendió en él. Se puso en posición y comprendí que la señorita Etoundi acababa de encontrar al hombre de su vida. Se formó un corro alrededor de los luchadores. Sus músculos resplandecían a la luz del sol y mis fantasmas se dispararon. Me preguntaba si, algún día, dos hombres se batirían por mis lindos ojos, y pensar esto me elevó de un tirón hacia unas alturas celestiales, con unos puñetazos como rayos, y unas incitaciones a cuál más absurda.

De repente el conductor se desplomó y un ¡ooooh! burlón, o sincero, qué importa eso, acogió su caída. La señorita Etoundi acudió a toda prisa:

–¡Socorro! ¡Socorro!

Ella se arrodilló y su falda hizo una aureola en medio del polvo. Unas lágrimas corrieron por su mejillas.

–¡No te mueras, amor mío! ¿Qué será de mí sin ti?

Y lloró a lágrima viva, acariciándole cien veces la frente con tiernos ademanes.

–No hay historia más bonita que la nuestra.

Me precipité en su ayuda, dispuesta a secar las lágrimas de sus bonitos ojos.

–¡Pero no es un blanco! –le dije yo escanzalizada–. ¡No es con un negro con quien conseguirás tener brazaletes de oro, querida!

Ella se sonó.

–¡A falta de pan, buenas son tortas!

La multitud no nos quitaba ojo de encima, dispuesta a llamar inmediatamente a los bomberos de Douala, para llevarse el cuerpo partido en dos del señor Poulidor y a ser posible el cadáver del conductor. La señorita Etoundi encogió sus frágiles hombros y se sonó nuevamente con tal fuerza que el señor conductor abrió un ojo.

–¡Y tú quién eres? –preguntó.

–¡Pues la mujer que te ha empujado a batirte por sus lindos ojos! –dijo ella–. Eres valiente, querido mío, ven...

Las manos de la señorita Etoundi le asieron las muñecas.

–No te equivoques de camino –le grité–. ¡No olvides tus verdaderos sueños!

Ella se lo llevó a su cuchitril, mientras que de lejos nos llegaban las protestas de los viajeros que seguían esperando a que se les condujera de una vez por todas a la estación.

María Magdalena de los Santos Amores y yo nos dirigimos hacia la escuela para reunirnos con los demás alumnos, a fin de ir en procesión hacia la Avenida de la Libertad, donde iba a tener lugar el desfile. ¡Yo aún ignoraba que el conductor del tren iba a desempeñar un papel en mi destino!

Ah, el tiempo, ese imbécil que nunca se deja engañar. Sobre todo en un día como aquél, en que uno se muere de calor, en que uno se muere de ganas de desfilar de verdad; en que uno se muere de ganas de pasar por delante de Su Excelencia el Presidente vitalicio; en que uno se muere de ganas de ver de cerca su cara, de preguntarse si come, si duerme y si folla como los demás mortales; en que uno se muere de ganas de volver a su casa para enterarse de las últimas noticias del barrio. La impaciencia me corroe de pies a cabeza. Envejezco en el sitio, pues tengo la impresión de que ha transcurrido una eternidad desde que María Magdalena me dijera:

–Espérame, Tapoussière. El Maestro y yo tenemos que arreglar algunas cosas antes de ir a la Avenida de la Libertad.

Y va y desaparece en el interior de unos locales. Y yo espera que te espera allí fuera, bajo aquel horno, con unos piojos que parecía que quisieran comérseme viva. Estábamos en fila de dos en dos, esperando a María Magdalena, la portadora oficial de nuestro banderín, y al Maestro, nuestro guía. De vez en cuando, asomaba su cabeza por la ventana.

–¡Sois unos buenos ciudadanos!

Éramos unos buenos ciudadanos. Algunos estaban acuclillados, sus minúsculos banderines a media asta, y soltaban unos pedos de hacer sonrojarse a un sarraceno. Tampoco faltaban los que se ponían verdes unos a otros y los más jóvenes de entre nosotros lloraban.

Para entretener la espera, yo pensaba en mi padre. ¿Cómo

sería? Me gustaba imaginármelo apuesto y soñaba despierta. Cuando le hice hacer algo inverosímil, como llevarme a los almacenes Monoprix y comprarme un vestido de seda con unos faralaes de encaje que había visto en una tienda, me vi obligada a volver a la realidad: ya estaba harta de esperar.

Con paso firme, me dirigí hacia las oficinas del Maestro. Yo era como una yegua con anteojeras. Abrí la puerta sin llamar y delante de mí, justo en medio de mi campo visual, estaba el Maestro. De cintura para arriba llevaba una camisa a rayas azules, y, de cintura para abajo, iba desnudo como un gusano. En cada mano sostenía una pierna que habría reconocido entre mil: eran las de María Magdalena de los Santos Amores. El Maestro se sobresaltó y se cabreó como una mona.

–¿Qué demonios haces tú aquí?

Su piel transpiraba y pensé en una tableta de chocolate fundiéndose. El sol me había ofuscado la mente y no tenía la más mínima conciencia de mi atrevimiento. Mis ojos estaban clavados en la pareja con una gran intensidad. El Maestro farfulló algo y empezó a ponerse los pantalones. María Magdalena de los Santos Amores juntó las piernas una contra otra al modo de unas tijeras y se bajó la falda.

Hasta ese momento, mi erotismo no iba más allá de la puerta de entrada del corral donde la volatería retozaba. La Abuela me había enseñado que el dominio de sí mismo era signo de madurez y exigía de los individuos el absoluto control de sus emociones.

–No os preocupéis por mí –grité–. ¡Se está muy fresquito aquí y siento que me entra el apetito!

Una estruendosa carcajada sacudió al Maestro. Se embutió sus pantalones y, cuando le pareció que estaba presentable, me miró fijamente; sus ojos espejeaban de polvo de oro.

–¿Sabes que lo que acabas de decir es grave? –Luego sin darme ni tiempo siquiera a exponer mi punto de vista, añadió–: Cuando se hacen este tipo de afirmaciones, hay que ir a confesarse.

Miré la puntera de mis zapatos.

–¡La curiosidad es un defecto muy feo! –añadió el Maestro–. Me lo escribirás cien veces en tu cuaderno.

–Sí, señor –dije yo, con la lengua áspera.

Luego salió dando grandes zancadas.

Yo estaba azorada y a María Magdalena de los Santos Amores le importaba un comino. Flotaba sobre un continente de color refulgente y con unos océanos tornasolados. Su boca sonreía, incluso sus cabellos parecían hablar. Se contoneó muy provocativa viniendo hacia mí, hasta tal punto que no oí ni el ruido de sus pasos ni el susurro de su falda entre los muslos. Se quedó inmóvil y cruzó las manos sobre el pecho.

–¿Qué has visto?

–A ti y...

–¡Tonta! –rezongó.

Hubiérase dicho de repente un tren rodando en medio de una profusión de humo y de vibraciones. Me entró tanto miedo que creí que iba a arrollarme o, peor aún, a soplar y a hacerme desaparecer del mapa. Siguió echando espumarajos de cólera:

–¡Salvaje! ¡Idiota! ¡Cabrona!

A medida que hablaba, diferentes rictus deformaban su lindo rostro. Rompí a reír.

–¿Te has vuelto loca?

–¿Y a ti qué coño te pasa?

–¡Encima de que has sido tú quien ha sido cogida in fraganti, me riñes a mí!

Despacio, se arrodilló delante de mí. Un instante después posó su mano sobre mi frente. Nadie me había tocado nunca de forma tan dulce. Cerré los ojos mientras sus dedos apaciguadores borraban la escena a la que acababa de asistir.

–Camina entre las sombras y caminarás largo tiempo –dijo ella.

Yo me estremecí.

–¿Quié ha dicho eso?

–La sabiduría popular.

Ella se levantó, se arregló el pelo, se cubrió los hombros con el cubrecama y se secó el rostro.

–He tomado una serie de decisiones –dijo–. ¡Quiero un verdadero señor, como se encuentran en los libros, y que hable como ellos!

–¡Y yo también!

–¿Ah sí? –preguntó con un destello de burla en los ojos.

–Quiero encontrar a mi padre.

–¡Qué ideas!

Sacudí la cabeza y le hablé de mis primeras tentativas, que habían sido un fracaso. María Magdalena de los Santos Amores me miró y el enternecimiento inundó su corazón. Me dijo que aquellos hombres de Kassalafam eran valientes, pero que sus espíritus no habían rebasado nunca el horizonte de su poblado de chozas. Habían dado una prueba de su grosería innata hacia mí negándose a asumir su paternidad.

–¡Mírate! –dijo ofreciéndome un espejo–, eres delicada, atenta y afectuosa. ¡Es imposible no quererte, Tapoussière!

Contemplé mi imagen y un agudo sufrimiento transió mi pecho. Mi corazón se puso a latir como un jirón que se agita. Luego, a media voz, como en una pesadilla, murmuré:

–¡Vete tú a saber... Señor! ¡Vete tú a saber!

Busqué más atrás las razones que habían llevado a Andela a concebirme en medio de los azares de tantos cuerpo a cuerpo, en vez de hacerme nacer en uno de esos matrimonios donde el sutil sentido del interés común sustituye al amor.

–Tienes suerte, Tapoussière –me dijo–. Eres libre de encontrar un padre apuesto, inteligente, que viva en París, y que aplauda a las actrices todas las noches en los cabarets.

Moví la cabeza, asintiendo, porque me ganaba el calor humano. María Magdalena acababa de encontrar el camino de mis fibras más sensibles e iluminaba los oscuros recovecos de mi corazón con una llama verde de reflejos azulados.

Me ofreció sus manos. Y yo se las choqué, sellando así nuestra amistad.

Se hubiera dicho que allí no había pasado nada viendo al Maestro haciéndonos formar y ordenando:

–¡Al frente, en marcha!

Estaba exaltado. Su boca como un culo de pollo no paraba de vomitar absurdos.

–¡Sacad bien ese pecho, balancead los brazos, esconded esos culos! ¡Uno, dos!

No le había admirado nunca tanto como en un día de desfile. Su frágil anchura de hombros de adolescente lo llenaba todo. Sus zapatos con refuerzos de hierro le anunciaban a mil millas de distancia y yo comprendía a María Magdalena de los Santos Amores. El Maestro no podía sino despertar cariño: su inteligencia, su labia, ese modo de construir mal las frases, pero de manera efectista, sus imperfectos de subjuntivo, eran otros tantos elementos para robarle a una definitivamente el corazón y yo no sentía ya el mío.

María Magdalena caminaba con paso sostenido, como si hubiera sido el único ser vivo sobre la faz de la Tierra. Y lo era: su banderín ondeaba al viento, como una oriflama; y también su falda; sus pies brincaban, no dignándose tocar tierra. Algunos la miraban con asombro, con ojos desorbitados. Una mujer decrépita se llevó las manos a la cabeza y rompió a llorar.

–Ay, juventud, ¿qué te has hecho?

Llegamos a la Avenida de la Libertad y había allí un enorme gentío, como para darle un ataque a uno. La gente charlaba, se daba palmadas en la espalda. Yo oía en torno a mí conversaciones incongruentes, llamadas repentinas, redobles de tambor, aplausos. La multitud, fastidiosa, se abría paso, bullanguera, enloquecida, para convencerse de que se acababa de pasar una página, que el nuevo año estaba ya allí de veras.

Una mujer con hombros de armario ropero mandaba una guarnición de *girls scouts.*

–Arreglaos las hombreras –voceaba dándoles cachetes en las nalgas–: ¡En pie, panda de haraganas!

Cuando se cansaba, se ponía en jarras.

–Pero ¿cuándo nos va a tocar?

En medio de ese maremágnum, el Maestro se afanaba por meternos en cintura. De un silbido, nos pusimos nuevamente en fila. De otro, dimos un taconazo quedándonos firmes. Cuando le pareció todo en orden, fue a reunirse con su colega jefa *escoutista*. Charlaban como dos viejos amigos y reían a carcajada limpia.

Yo me sentía desdichada de verles hablar juntos y maldecía mi juventud que no me otorgaba la legalidad de mis emociones, pues amaba al Maestro. María Magdalena de los Santos Amores compartía mis angustias. Había olvidado su banderín y no perdía de vista al Maestro. Sus ojos veían visiones; su pensamiento volaba en una inquietud infinita; se mordía los labios y se pasaba las manos por el cabello, atolondrada. Cuando el calor apretó de lo lindo, me puse a escudriñar el cielo, temiendo que se avecinara una catástrofe. María Magdalena se precipitó hacia la jefa *escoutista* y le soltó una bofetada. La *escoutista* cayó en brazos de un señor que la reexpidió a María Magdalena. Las dos mujeres llegaron a las manos y yo comencé a dar saltitos.

–¡Vamos, María! –gritaba yo.

Las carnes húmedas resbalaban; los cabellos se encrespaban bajo la presión de los dedos que los agarraban y algunas partes de la anatomía brindaban a los ojos un magnífico espectáculo. El Maestro no paraba de gritar.

–¡Pero si acabarán matándose!

Se excitaba, halagado de que se sacaran los ojos para conseguir su cariño.

–¡Cálmese, señor Maestro! –dije yo cogiéndole del brazo–. ¡Aún no han terminado de explayarse!

El Maestro me miró, estupefacto, y yo dejé escapar una risita que, confiaba, le sacara de dudas.

–¡Ay, la vida de una mujer! ¡Ay, la vida de una mujer!

Las dos muchachas se zurraron tanto que al final no eran capaces más que de farfullar:

–¡Asquerosa perdida!

Yo ovacioné a las atletas.

Extasiada, me reuní con María Magdalena de los Santos Amores.

–¡Le has dado su merecido, querida! –dije plantándome en la acera.

María Magdalena permanecía callada, encerrada en la turbación, el extravío y el desfallecimiento. Unas lágrimas rodaron por sus mejillas. «¿Es esto el amor, perder toda su gloria?», me preguntaba yo. De vez en cuando ella se sonaba, pero su tristeza se iba acentuando. Cuando se dio cuenta de que se había afeado, se asombró.

–¡Oh, Señor! ¡Oh, Señor!

–No conviene jugarse el tipo por un hombre –dije. Unas lágrimas rodaron de nuevo por sus mejillas–. Eres bonita, y joven, y los habrá a montones que se enamoren de ti –añadí.

Como seguía sin responderme, le dije que todos los hombres eran iguales: ¡unos seres inmundos! Despreciaban a las mujeres, las doblegaban a sus deseos y a continuación las dejaban tiradas.

Ella me miró con cara de asco.

–Pero ¿qué sabes tú del amor? –me preguntó.

Yo sabía que amaba al Maestro, pero del amor no sabía nada. Fui salvada por el sonar del silbato. Pronto sería nuestro turno. Nos alineamos, lentamente.

–¡Hay que darse prisa! –gritó el Maestro.

María Magdalena se negó a volver a ocupar su sitio.

–¡No puedo llevar el banderín en este estado! –dijo.

Mostró su blusa rasgada, exhibió su cuello lleno de rasguños y sus piernas arañadas. Miró al Maestro con unos ojos que tanto podían significar «¡Es por tu culpa!» como «Soy indispensable».

El Maestro estaba desesperado.

–¿Alguna de vosotras puede prestarle una blusa a María Magdalena para el desfile? –preguntó.

Algunas muchachas hicieron muecas.

–Que cada palo aguante su vela –murmuraron.

Y soltaron también:

–La jodienda no tiene enmienda.

–¡Beyala B'Assanga! –llamó a gritos el Maestro.

Sentí que se me revolvían las tripas, pero tuve la suficiente presencia de ánimo como para responder:

–¡Presente! –Y me puse firmes–: ¡No contaré a nadie lo que he visto! –añadí.

La gente rió ahogadamente y el Maestro cogió el toro por los cuernos:

–¡A callar! ¡Silencio! –Me puso el banderín en las manos–. Vas a representar a nuestra escuela –dijo, y yo me vi palidecer.

–¡Será nuestra vergüenza! –gritaron mis camaradas.

–Maestro –declaré yo con todo el convencimiento de que era capaz–, es un error confiarme a mí esta tarea... Como tan noblemente dicen mis compañeros, no reúno los atractivos necesarios para seducir al respetable.

Me puse a echar mierda sobre mi persona. Confesé que no me había lavado y que corría el riesgo de ensuciar el banderín. Que mi nacimiento de bastarda me colocaba en una situación ilegal ante la ley de la República. Desvelé mis taras para que los otros no se relamieran de gusto durante años y años. Poco a poco, mientras duraba esta prueba de autohumillación, la emoción se iba apoderando de mis compañeros. Veía su desconcierto, pues no estaban acostumbradas a entregarse a ese tipo de ejercicio. Hacían esfuerzos increíbles por seguir mi discurso. Sus narices palpitaban al sol; les colgaban las lenguas; mantenían inmóviles las manos y los pies, demasiado ocupados como estaban en seguirme por los dédalos tortuosos de mi psicología.

Por fin, no cupo ya la menor duda: yo era la más indicada para llevar el banderín. Era el porvenir y lo veía claro.

«Tal vez mi padre se encuentre en alguna parte entre este gentío y se fije en mí», me dije. Yo era su República del Camerún, agusanada, sucia, escandalosa, pero una República luminosa al fin y al cabo en medio de aquella estabilidad desesperante de calor.

Pasamos por delante de la banda militar y me brotaron unas alas en el cuerpo que salieron por mis poros hasta crecer como si fueran verdaderas hojas de palmera. Cuando llegamos delante de la tribuna oficial, se alzó un clamor.

–¡Oooohhh!

Las mujeres de algunos gobernadores, vestidas con miriñaques, se taparon la cara con las manos.

–¡Por Dios Nuestro Señor!

Se produjo un gran alboroto por toda la acera. «Pues bien –me dije yo–. Estás a punto de escribir una brillante página de la historia! ¡Seguro que tu padre te ha reconocido!» Me estaba recreando en mi blandengue autocomplacencia cuando mis ojos fueron testigos de una escena que iba a hacer trizas tan hermosos sentimientos.

Una docena de hombres se habían bajado los calzones y volvían sus nalgas hacia la tribuna. En ellas podía leerse escrito con rotulador rojo: «¡No se podrá hacer callar ya a la verdad! ¡Abajo la dictadura!», pero también: «¡Presidente vitalicio, asesino!». Este homenaje ultrajante me heló la sangre en las venas. Unos policías atravesaron la calle. Un odio generalizado hizo presa en los asistentes y se propagó como la diarrea. Hubo intercambio de puñetezos y aporreamientos en toda regla.

–¡Gamberros!

La gente se golpeaba e insultaba. Cajas de pirulíes eran estrelladas contra el suelo, desparramándose por el asfalto. Unos vendedores se llevaban las manos a la cabeza y se lamentaban por sus mercancías perdidas.

–¡Esto es la ruina, la ruina!

El Maestro mantenía la sangre fría.

–¡No hay que retroceder!

Tenía razón. Sonaron unos disparos. El Maestro nos contenía.

–¡No os disperséis!

Yo tenía la impresión de estar dentro de una caja de explosivos. Me entró un repentino calambre en el estómago. Un cólico me cortó la respiración y sabía que no iba a poder librarme de los retortijones.

El Maestro nos condujo hasta el barrio del puerto. Allí la vida proseguía su curso con su libertina insolencia. Las fulanas con una buena delantera se henchían de ternura.

–*Very beautiful girl!* –gritaban–. ¡A quinientos pavos la ración de ternura!

Unos marineros occidentales o africanos se acercaban, vestidos con pantalones azules, las gorras caladas.

–*Come here, darling!*

Las golfillas se volvían para que comprobaran la naturaleza nada evanescente de la mercancía.

–*What do you think, brother?*

Reían, daban palmadas.

–¡Uauuu! –sellaban así un pacto con la pusilanimidad, con la depravación que les permitía liberar con absoluta impunidad sus bajos instintos.

El Maestro nos explicó que aquellos marineros eran pura escoria. ¡Unos macarras! ¡Unos mariconazos! ¡Unos drogadictos! Por otra parte, ¿por qué creíamos nosotros que viajaban tan lejos de sus hogares? Pues nada más que porque huían de graves fechorías cometidas en sus propios países.

–¿Son unos asesinos, entonces? –pregunté yo.

El Maestro encogió sus pequeños hombros.

–Lo importante es que sepáis desconfiar de los extranjeros.

Por lo demás, las aguas del Wouri seguían corriendo y el sol refulgía y abrasaba las pupilas, la vida continuaba, como siempre, ¡y sin embargo era un año nuevo!

TERCERA PARTE

Fluctuat nec mergitur

Los días siguientes me abrí a mi padre fantasmagórico como se abre uno a un libro. En clase o en la calle, yo vivía entre la gente, pero separada de ellos. Les oía, pero sin entender, veía a los hombres hablar de las mujeres y a las mujeres sonreír a los hombres, sin distinguir sus rostros. Me sentía aislada, perdida, como si hubiera sido arrojada por la borda en alta mar.

Me amoldaba al ritmo de mi padre; prestaba oídos a su voz ronca; dedicaba los latidos de mi corazón a esos instantes en los que me tomaba en sus brazos, me sentaba sobre sus rodillas. Mirándonos fijamente, él me hablaba con su boca pegada a la mía, me suplicaba que le perdonara, negándome yo a hacerlo: «¡No quiero saber nada de ti, me has abandonado!». Él me acunaba diciéndome: «Te quiero».

Yo regateaba esto, vendía lo otro, un beso furtivo en la mejilla, una sonrisa o simplemente el placer de compartir un helado. Me lo representaba físicamente a partir de las fotos que veía en las revistas. Unas veces era alto, iba vestido con un traje gris. Su tez clara eclipsaba al mismo sol y sus finos labios estaban siempre dispuestos a sonreír. Otras se volvía negro, musculoso, capaz de luchar contra todo un ejército con la sola fuerza de sus puños. La incoherencia de mis elucubraciones no me resultaba algo evidente. Sólo importaba el viaje y, de buena o mala gana, sucumbía a los encantos de mi propia imaginación.

Una noche, a final de curso, so pretexto de barrer la clase, el Maestro me pidió que me quedara. Yo apenas había pasado un poco por encima la bayeta, cuando el Maestro emitió una tosecilla a mis espaldas.

–Eres muy joven para soñar despierta –me dijo.

–Tengo once años.

Se calló, y su mirada se perdió en la lejanía, al otro lado de la calle donde unas mujeres vestidas de colores variopintos brillaban cual flores con sus bonitas túnicas, sus magníficos collares, sus pendientes, todas esas ingeniosas invenciones destinadas a seducir a los hombres.

–Las mujeres no piensan más que en eso –dijo–. ¡Yo que tenía tantas esperanzas puestas en ti!

–Todavía hay excepciones, Maestro –respondí yo–. A usted no le he decepcionado.

Luego me dije a mí misma: «Te amo. Qué dices a esto, ¿eh?».

–Entonces, ¿en qué piensas? Bien veo que tienes la cabeza en las nubes desde hace un tiempo.

–En nada –mentí.

Él me miró como si yo provocara su asombro.

–Eso espero.

María Magdalena de los Santos Amores entró, rodeada de un halo de amor. Se había puesto guapa para el Maestro, dispuesta a entregarse y a hacerse desear de nuevo, su cuerpo ya ofrecido, usufructado.

–¿Qué es lo que quieres? –preguntó el Maestro, ansioso.

–Hablar con usted, Maestro.

El Maestro consultó su reloj y dudó.

–Esta tarde no tengo tiempo. Me espera mi mujer.

Empezó a recoger sus cosas. María Magdalena de los Santos Amores le miró y sus ojos brillaron de odio. ¡Se moría de ganas de cogerlo de los pelos, de tirarle al suelo, de pisotearlo, de aplastarlo! Pero su condición de querida no se lo permitía.

Yo tampoco podía expresar mi cariño. Mi edad era un impedimento y más de una vez juré entre dientes. En sueños, me llevaba al Maestro a un paisaje encantado y burlesco, como algunas páginas del Antiguo Testamento. Nos veía sentados delante de grandes fuegos en los que se asaban corderos enteros, rodeados de jarras de miel, mientras nos cuchicheábamos al oído apasionadas y espléndidas indecencias. Volví a la realidad cuando el Maestro se precipitó hacia la puerta, con paso fugitivo.

–¡Hasta mañana, muchachas! –soltó, apresurado–. ¡Hasta mañana!

Nosotras nos lo quedamos mirando, acechando a sus espaldas algunos miserables remordimientos.

–¡Qué cobarde! –dijo María Magdalena mientras su silueta desaparecía detrás de las casas–: ¡Qué cobarde!

–Te quiere –intervine para tranquilizarla o para preservarme–. ¡Está claro que tiene miedo!

–¿Miedo de mí? Pero si no voy a comérmelo.

–¡Los hombres tienen miedo de las mujeres bonitas!

Mis palabras la hicieron derretirse de gusto y asomó su alma tierna. Me contó cómo el Maestro la había cortejado de modo maravilloso; cómo le había dicho que la quería; cómo le había regalado al principio cosas tales como las medias sexy que ahora llevaba y que no se ponía para nadie más; y cómo también había cedido a sus peligrosas insinuaciones bajo promesa de matrimonio. A medida que ella hablaba, veía decrecer su buen sentido igual que el día tras los cristales.

–Me quiere –dijo–. Lo que pasa es que tiene miedo a abandonarlo todo... Pero lograré conquistarle.

Yo estaba apasionadamente enferma de celos y se cruzó por mi mente una imagen salvadora, capaz de acabar con las pretensiones de María Magdalena de los Santos Amores: la esposa del Maestro. La había visto algunas veces, a la salida de la escuela. Era un mujer alta, con un culo y unas tetas considerables. Había aprendido buenas maneras en un colegio donde unas religiosas blancas enseñaban a cocinar a la francesa, a bordar a la rusa y a ser pulcra a la americana. ¿Qué tenía María Magdalena de los Santos Amores a su favor? ¿Sus cabellos? ¿Su juventud? ¿Cuáles son en el fondo las motivaciones de un hombre? Yo no perdía la esperanza.

Paradójicamente, envalentoné a mi rival a beberse con deleite el cáliz de su ingenuidad.

–Seguro que se va a casar contigo. –Llegué hasta el punto de asombrarme a mí misma–: ¿Me aceptarás como dama de honor?

María Magdalena sacudió la cabeza.

–¿Qué haría yo sin ti?

Era tan conmovedor que le permití seguir mintiendo descaradamente. En cuanto a imaginación se refiere, yo no le andaba a la zaga. Recordé matrimonios exóticos en los que damas de honor vestidas de color rosa fucsia llevaban detrás de la recién casada kilómetros de velo y arrojaban al aire una lluvia de confetis. Ella me escuchaba, libre, abierta, inocente. Los cabellos de María Magdalena brillaban y yo pensaba: «Todo lo tiene en su cabeza. Lleva al Maestro en la cabeza. No es posible luchar contra esta absurdidad». María Magdalena cerró bruscamente los ojos y los volvió a abrir.

–Espero que sepas guardar mis secretos.

Sus cejas se alzaron, para bajar acto seguido, llenas de irritación. «¡Qué carácter más variable!», pensé yo. Un hilillo de sudor goteó entre mis muslos.

–¡Soy una tumba!

Una sonrisa furtiva iluminó sus labios.

–Vayámonos a casa –me dijo ella.

No cabía otra cosa que estar a la altura de las circunstancias y correr tras las zancadas de María Magdalena, sin poder darle alcance. Cuando nos separamos, dejé escapar un suspiro de alivio, pues comenzaba ya a irritarme obligándome a divagar de esta guisa.

El cielo se cubrió y la tormenta estalló bruscamente. La gente se echó a correr. Imitando a mis conciudadanos, me quité los zapatos y me los puse sobre la cabeza para protegerlos. Mis pies podían ponerse perdidos y agrietarse. Ya podían coger garrapatas que pusieran sus larvas en ellos, que no tenía ninguna importancia. Vivía con la esperanza de que un día encontraría a mi padre y que mis pies se regenerarían. Mis cabellos chorreaban y mis piernas relucían. Unos rayos asaeteaban el cielo y las bragas se me pegaban en el trasero. ¡Estaba maravillosamente horrible, hasta el punto de espantar a las mismas moscas!

En Kassalafam, los ríos se desbordaban. Viejas cacerolas y cajas de conserva navegaban aguas abajo. Las letrinas también se desbordaban y sus olores ganaban terreno.

Una vez en nuestra concesión, comprendí que la Abuela se hallaba ocupada. «Las asociadas en la desgracia» estaban sentadas, atornilladas en sus bancos con la esperanza de confiscar el sexo de sus esposos. Aguardaban bajo la veranda su turno de «visita».

Sentada sobre una estera, la Abuela se informaba:

–¿Van mejor las cosas?

O si no:

–¿Has hecho el amor esta noche?

O mejor:

–Apuesto algo a que no ha salido desde ayer, salvo por necesidad.

Inquiría como un médico que le preguntara a su paciente cómo ha dormido o si ya no siente demasiados dolores. Yo tomaba buena nota de todo cuanto hacía, pues más tarde todo aquello me iba a servir a mí. Todas habían experimentado una mejoría en su situación de esposas abandonadas.

–Esta noche me ha tomado en sus brazos.

O bien:

–Me ha besado en la frente.

O incluso:

–¡Me ha deseado buenas noches!

Habría sido muy distinto si la Abuela hubiera puesto fin de un plumazo a sus protestas.

–¡El hombre propone y Dios dispone!

O bien:

–¡El que algo quiere, algo le cuesta!

Pero la Abuela aspiraba rapé y decía:

–¡A la gloria de Nuestro Señor Jesucristo –y daba unas palmadas–: ¡Gracias, Señor!

Estornudaba y los mocos le chorreaban de la nariz negros y pegajosos, mocos que ella se limpiaba con el dorso de la mano.

–¡Qué vida más perra!

Estornudar era señal de longevidad. Sin la menor mala conciencia, animaba a «las asociadas en la desgracia» a despilfarrar sus fortunas en grisgrises de hojas, pues, por más que el buen Dios alimentaba a los pájaros del cielo, no era menos cierto que los bípedos implumes debían ganarse la vida.

La lluvia estaba disminuyendo, aunque seguían cayendo algunos chaparrones. La tierra húmeda desprendía un fuerte olor y la Abuela continuaba prescribiendo sus pociones mágicas de confiscación de la masculinidad.

Pasé por entre «las asociadas en la desgracia» instaladas en grupitos a lo largo de mi camino. Me desvestí, me sequé y me puse unos leotardos rojos. Tenía tanto frío que tiritaba. Me castañeteaban los dientes; me temblaban las piernas; mi cabeza era presa de los espasmos; las manos se me habían amoratado de tanto frío como tenía. Encendí fuego y soplé en él hasta que brotaron las llamas en alegre danza. Luego me senté y alargué mis dedos hacia el hogar. Se estaba bien allí y me invadía el calor. Sentada sin hacer nada, con los ojos cerrados, tuve la impresión de volar, de ascender; una estupidez, lo sé, pero era agradable.

–¿Qué haces tú aquí?

Era la Abuela. Estaba erguida como una cobra encolerizada. Sus ojos echaban chispas, que se extinguieron en el fuego.

–¡Tengo frío, Abuela!

–¿Frío? –dijo sarcásticamente–. ¿Frío? ¡Ay, la vergüenza caerá sobre mi pueblo!

Levantó el bastón para interpelar a las mujeres.

–¡Venid, venid a ver mi vergüenza!

«Las asociadas en la desgracia» acudieron a todo correr:

–¡Qué vergüenza!

Ellas mostraron sus blancos dientes.

–Si tiene frío a su edad, ¿qué será cuando tenga treinta años? –preguntaron.

De hacerles caso, yo no era más que una gallina remojada, un pescado pasado, una marmota y qué sé yo qué más. Tenía ganas de decirles bien alto:

–¡Atrás, redomadas cabronas!

Pero no podía hacerlo sin provocar la ira de nuestros antepasados y romper esa cosa confusa y enredada que llamamos respeto a nuestros mayores.

Me puse un chubasquero, un trozo de plástico azul eléctrico al que la Abuela de un navajazo había hecho un siete en medio para que yo pudiera meter la cabeza. Cogí mi cuaderno de clase y coloqué nuestras ristras sobre la cabeza.

–Vigila que no te roben –me dijo la Abuela.

Por lo demás, no había tiempo que perder con angustias existenciales y realidades distintas a aquellas que ella elegía.

La Avenida Principal era un lodazal. A todo lo largo, unas vendedoras luchaban contra la intemperie como Dios les daba a entender. Colocaban sus mercancías sobre unos perpiaños superpuestos o bien sobre tres viejas cacerolas. Las recubrían con gruesos plásticos, de manera que era preciso ser poco menos que vidente para adivinar que debajo de ellos había unos llantenes fritos o unos mangos, pescados asados o mandiocas. Nosotras dábamos saltitos.

–Este país y la lluvia –y el agua golpeaba nuestras cabezas, chorreaba por nuestras caras–. ¡Es un verdadero castigo del cielo!

Una mujer como tres cerdas de gorda parpadeó y miró al cielo.

–¿Tú crees que va a parar pronto? –me preguntó.

Me encogí de hombros.

–Yo qué sé... Tal vez sí... Tal vez no.

Arrugó su chata nariz.

–Estoy segura –dijo–. El negocio, si no, se nos va a pique.

Y a pique se fue el negocio. La gente empezó a escasear, porque los negros detestan la lluvia.

«Cuando gane el dinero suficiente, abriré un comercio, con una tienda de verdad para la Abuela», me prometí.

Estas palabras me animaron a quedarme allí, a dar saltitos bajo las gotas de lluvia y a contemplar cómo unos gusanos subían por mis tobillos.

La Abuela vino a verme, pero no pasaban transeúntes. Aproveché para ir a sentarme bajo mi farola, que estaba triste sin el tacatac tacatac de nuestro *modisto-sastre de casa Dior e Ives-Sin-Laurent.* Estudié las lecciones de Matemáticas y de Geografía. Me gustaba empollarme las montañas, los océanos y los continentes. Me transportaban hacia unos cielos de confeti y me brindaban buenas razones para ser feliz. Completé mis fabulosos conocimientos con la lectura de una fotonovela, a la que le faltaban unas páginas sacrificadas a las diarreas. La trama argumental me parecía algo secundario frente a la realidad de la heroína: era hermosa. Su blanca piel no sufría de rojeces debidas a los parásitos; sus largos cabellos negros y sus ojos azules se mezclaban con la brisa que se aspiraba con ella. Yo estaba en simbiosis con sus dramas, puesto que me ponía en su lugar y, por el mismo proceso fantasmagórico, el Maestro se transformaba en el enamorado. Unas lágrimas perlaban mis ojos, que acababa enjugando, mientras reía de felicidad cuando, tras superar mil obstáculos, la heroína y el príncipe azul se arrojaban en los brazos: «¡Te quiero! ¡No deseo a nadie más que a ti! ¡Te amaré eternamente!». Y era el Maestro quien me daba besos y yo quien se los devolvía. Cerré los ojos y se me puso la piel de gallina. No pedía más que un pequeño anticipo a la vida: un poco de pan y una cantidad enorme de sueños.

Aquella noche, regresamos a casa temprano... En el cielo, la luna acudía a su cita diaria y las nubes se tragaban las estrellas. Se desplazaban por bandadas cual pájaros y descargaban a lo lejos. La tierra húmeda intensificaba sus olores hasta casi hacerle perder a uno el sentido de la medida. El bastón de la Abuela se hundía tan firmemente en el barro que creí que su punta tocaba el pecho de los muertos. Cuando entramos en nuestra concesión, oímos unos estertores. La Abuela hizo «¡chist! ¡chist!» y me llegó una voz.

–¡No pares! ¡No pares!

Era la señorita Etoundi que estaba royendo su parte de eternidad como un ratón su porción de queso.

La Abuela atizó el fuego. Sus dedos llenos de venas sacudían la leña como para arrancarle su última materia orgásmica. Las llamas saltaban y reflejaban nuestras sombras. Nos sentamos al amor de la lumbre y comimos pescado a la parrilla. Un perro vagabundo y temblequeante se acercó para quedársenos mirando entre jadeos. Yo tragaba con voracidad y me llenaba la barriga tan rápidamente que la Abuela no tardó en reprenderme.

–Come más despacio... Mastica bien la comida, ni no vas a tener dolor de estómago.

Como decía la Abuela: «Uno puede destrozarse los tímpanos para no oír, vaciarse las cuencas de los ojos para no ver, pero ¿cómo hacer para extirparse el estómago y seguir viviendo?». ¡Vista la rapidez con que desaparecía la comida en mi boca, a la Abuela no le quedaba más remedio que morirse de hambre!

Una vez que el plato estuvo vacío, lo hube lamido una y mil veces, la Abuela se hubo lavado los dedos y yo hube amontonado los platos sucios en un barreño, llamé al perro y le di las raspas.

–¡Vamos, come, mi querido perro, come!

El animal permaneció inerte. Llegué a la conclusión de que había algo oscuro e incomprensible en aquel malaventurado perro.

–Este perro se cree un humano –dije yo despechada.

A decir verdad, no estaba orgullosa de mí. Ese perro me había mirado tan intensamente mientras comía que sus pensamientos habían penetrado en mí: «¡No eres más que una egoísta!».

Me sentí incómoda, pero lo bastante culpable como para soltarle al perro vagabundo:

–Los perros van de caza, ¿sabes? ¡Y tú te quedas aquí, esperando sabe Dios qué!

Daba yo tanta pena que el perro hizo una especie de mohín, se echó delante del fuego y apoyó el hocico en el suelo.

Me enredé en mi mala conciencia como una mosca en medio de una tela de araña. Me puse a hablar, a decir cualquier cosa. Me importaba un bledo, pero parlotear me permitía escapar al triste silencio y a mis propias angustias. Hablé de lo sucedido durante la jornada, refiriéndome a los malos compañeros, a la escuela y sus obligaciones. La Abuela me escuchaba, atenta, asintiendo, inhalando rapé, sonriendo ante mis ocurrencias, ante mis mezclas confusas de secuencias y encadenados, de travellings hacia delante y de terribles saltos hacia atrás.

Cuando no tuve ya nada más de inocuo que contar, me expresé en los siguientes términos:

–Tengo algo que decirte, Abuela.

–Te escucho, hija.

–Sí, pero es un secreto... Tendrías que prometerme que...

Ella me lo juró y se revistió con el hábito de un sacerdote en un confesionario: algo que iba a quedar entre ella, Dios y yo. Absuelta por el sueño eterno del Señor, le conté a la Abuela el coito culpable de María Magdalena y el Maestro, y que María Magdalena me había hecho promesas de amistad eterna, y que yo le había prometido a mi vez un silencio sepulcral.

Mientras hablaba, la Abuela estaba sobre ascuas. La vi mover las mandíbulas, pestañear como si el viento levantara arena y le entrase en los ojos. Cuando me callé, la Abuela rellenó su cachimba y me preguntó:

–Según tú, Beyala B'Assanga Djuli... En tus relaciones con María Magdalena, ¿las cosas van como deben ir?

Yo me puse a temblar, pues la pregunta me remitía a mi concepción global del universo: ¿qué era lo más importante en una vida, el amor de un hombre o el de un amigo? ¿Reinaba la disonancia o la armonía entre cielo y Tierra? Y todas estas cosas, ¿por quién han sido creadas? ¿Por Dios o por el azar? ¿Por los espíritus o por los hombres? ¿Cómo es el Señor, de carne o de espíritu? No tenía respuestas y mi experiencia de la vida no me permitía resolver el problema con precisión... He aquí por qué, queridos lectores, expulsada de lo infinito, volví a la prosaica realidad.

–Sí, pero me has prometido...

La Abuela rompió a reír, con la cabeza gacha; las llamas iluminaban su boca como el fondo de un volcán. Me invadió el sentimimiento de mi vida llena de lagunas, hundiéndome en la impureza. La Abuela se colgó la cachimba entre los labios, fumó con fruición y se expresó con estas palabras:

–Cuentan que...

–¿Qué?

–Había una vez un hombre que aborrecía las alubias. Tanto las aborrecía que sólo de verlas le entraban naúseas. Un día, el hombre que detestaba las alubias se enamoró de una muchacha del pueblo e, inclinándose ante ella, se expresó así: «Mujer, te amo. Y para probarte lo profundo de mis sentimientos, comeré alubias sólo por ti. Pero con una condición: que nadie debe saber que, por tus lindos ojos, he comido alubias». La mujer dejó escapar un suspiro y dijo: «¡Me siento conmovida por ello, hombre! Pero como nadie debe saber que has comido alubias por amor a mí y yo desearía compartir este fabuloso secreto con al menos un testigo en el mundo, me gustaría pedirte un favor: ¿le permitirías a mi mejor amiga asistir a la escena?». El hombre aceptó. La mujer se fue a ver a su mejor amiga y le expuso la situación, y su mejor amiga replicó: «Pero puesto que nadie debe saber que ha comido alubias, ¿me permites invitar a mi mejor amiga?». La mujer aceptó. De mejor amiga en mejor amiga, resultó que todas las mujeres del pueblo se hallaban presentes y el hombre se negó a comer alubias.

Yo la escuché y empezó a prender en mí el alegre sentimiento del clan: el individuo no se perdía. Éramos iguales, en el seno de una sociedad comunitaria donde cada uno vivía pobre, pero bajo la protección de su entorno. Mis dudas bituminosas desaparecían. Antiguas certidumbres me embargaban. Poco menos que olvidé que, detrás de la Historia en mayúsculas –la de un pueblo– se encontraba la historia a secas: la de una anciana perdida en medio de un mundo que iba de cabeza hacia la anarquía y el desorden, en una mezcla confusa de humanismo y otras contradicciones. Olvidada también la historia de su nieta bastarda, abandonada por su madre, que se iba a convertir en novelista y cuyas impropiedades retóricas iban a poner los pelos de punta a los pontífices de la literatura francesa.

La Abuela acabó su relato, se sacó la cachimba de la boca y golpeó la cazoleta.

–Las amistades femeninas son peligrosas... –dijo–. Espero que hayas aprendido la lección.

Más tarde, la vida me hizo ver que la Abuela tenía razón. A pesar de esta constatación, no desconfié jamás de las amistades femeninas y pagué con lágrimas de sangre y congojas mil pequeñas traiciones, doscientos mil abusos de confianza. ¡A mí me gustaban las mujeres y, de esos amores, uno no se libra nunca!

Me sentía sola y experimentaba la necesidad de ser. Daba marchas atrás, medias vueltas interiores para discutir conmigo misma y encarar atrevidamente una terrible posibilidad: ¿y si yo fuera una expósita? Tenía mis dudas. ¿Por qué la Abuela nunca me hablaba de Andela? ¿Por qué esa repugnancia por su parte en imaginar un padre para mí? La Abuela debía de conocer a los hombres que Andela frecuentaba durante el período de mi concepción. Yo pasaba noches enteras rebuscando en mi memoria, con una tensión desesperada, cada palabra pronunciada por la Abuela para encontrar en ella algún signo que hubiera podido conducirme hacia mi padre. Me hacía falta luz, un poco de seguridad, un ápice de certidumbre, para poder seguir viviendo, simplemente.

Fueron pasando los días y yo me mostré irascible: dejé que sus mandiocas se quemaran expresamente y la Abuela perdió una fortuna; puse a remojar en lejía sus vestidos de color; añadí pimienta a su rapé y me negué varias veces a acompañarla a vender su mercancía. Tan pronto como la Abuela me explicaba las razones que harían de mí su heredera, yo ya estaba predispuesta contra ella.

–¡Eso será si yo quiero!

O también:

–¿Qué te hace creer que podría asumir ese papel? ¡Después de todo, no soy una verdadera Assanga!

El rostro de la Abuela se crispaba y su columna vertebral se enderezaba en un espasmo. Buscaba y encontraba las palabras adecuadas.

–Vi tu nacimiento en sueños... ¡Assanga lo había vaticinado!

Ella discutía un poquito y se dormía con la boca abierta, en la silla.

Viéndola tan vieja y frágil, yo era presa de los remordimientos. «¡No es culpa suya! ¡Le pediré perdón!», razonaba para mí. Sentía la necesidad de tomarla entre mis brazos y consolarla. «No le haré daño nunca más.»

Yo andaba por las calles, entre el olor del pescado seco y el viento tibio que hacía que las hojas cayeran al suelo. Pensaba utilizar mi handicap en mi provecho: «¡Hijo bastardo, hijo de la pasión!», o también: «¡Hija sin padre, hija del progreso!». Un eslogan, a la manera de un anuncio publicitario, que permitiría a los hijos naturales volver a tomar ventaja o, al menos, poder mirar a los demás a la cara. Algunas veces creía en el éxito de mis fantasmas. Veía grabarse estas palabras en letras de oro en las paredes de la ciudad y sustituir los grandes anuncios de *Omo lava más blanco - Colgate, la sonrisa de los campeones.* Luego, sin mediar razón para ello, me descorazonaba: «¡Estás loca!». A continuación pensaba, en el mejor de los casos, en un porvenir que, sin ser hermoso, estaría lleno de dulzura. Regresaba a casa llena de buenos propósitos, que se desvanecían una vez franqueado el umbral.

–¿Dónde estabas, Beyala B'Assanga? –preguntaba la Abuela cándida y con cara de tonta–. ¡Estaba tan preocupada! Ya...

Me entraban ganas de abofetearla, sin motivo. En realidad, de lo que tenía ganas era de pegar a todo bicho viviente, de matar. Mis manos temblaban por estrangular, pero ¿a quién? No importaba: a la Abuela, a Andela, al señor Atangana Benoît, al Maestro. Mis labios se estiraban.

–¡Ya soy mayor y no me llevo cualquier porquería a la boca!

Su espalda se encorvaba. Posaba las manos llenas de manchas sobre las rodillas. Miraba al vacío, en busca de recuerdos, pero ¿cuáles? Como una mujer que tiene dificultades en reconocer a un hombre a quien entregó su cuerpo unos años antes, la Abuela decía en tono jocoso:

–¿Has oído hablar de esa mujer a la que su marido ha matado de seis cuchilladas?

–Las que se merecía eran ciento cincuenta, no seis –decía yo–. Pues engañaba a su marido... ¿Acaso pensó en sus hijos y en los que podría tener fuera del matrimonio?

La Abuela me miraba con la desconfianza del ratón que ve un trozo de queso y se huele la trampa.

Comenzaba:

–Cuentan que...

–¿Qué?

La calma retornaba al cielo, se olvidaba la fricción y la vida se reanudaba. Un dulce calor me invadía. Mi resolución de dar con el paradero de mi padre se debilitaba. Mi progenitor se convertía en una nube, cuya característica esencial es que la gente se olvida de ellas.

Aquella noche, tuve un sueño agitado. Tan pronto como me adormecía me volvía a despertar. El dolor se apoderó de mí antes de que mi espíritu tomara conciencia de sus causas. Hubiérase dicho que el sufrimiento estaba de guardia a los pies de mi cama, infiltrándose gota a gota en mi carne adormecida, martirizándola, agotándola como el paludismo. Yo daba vueltas y más vueltas a unos razonamientos que me torturaban. Me imaginaba todas las combinaciones posibles, sin encontrar nada que pudiera satisfacerme. Entonces, me dejaba arrastrar hacia la sinrazón. «No me quiere –me decía observando a la Abuela mientras dormía–. Pues si me quisiera, habría comprendido mi angustia y no estaría roncando así mientras...» En mi interior nació un odio hacia aquella roncadora despreocupada. «Me escaparé –me dije–. ¡Partiré lejos!» Pero ¿adónde? Concentré mis pensamientos en la oscuridad tropical, llena de sonidos extraños: «¿Para qué habré nacido?». Ésa era la respuesta que había que encontrar.

Transcurrió la noche a paso de tortuga y, mucho antes de que hubiera desaparecido completamente, una voz de mujer canturreó.

–¡Oh, Señor! ¡Mala suerte!

Las lámparas se encendieron una tras otra detrás de las ventanas cerradas.

–¿Qué sucede?

Salté de la cama.

–¿Adónde vas tan deprisa? –me preguntó la Abuela mientras me ponía el vestido.

–A ver qué es lo que sucede.

Sus pies rascaron el suelo, pero yo ya había atravesado el puente, muy feliz de que mis pensamientos pudieran ocuparse de otra cosa.

–¡Vuelve aquí! –Su bastón golpeó la madera–: ¡Vuelve aquí, cabeza de alcornoque!

Avancé resueltamente hacia el lugar de donde venían los gritos, mientras la voz de la Abuela enumeraba las amenazas posibles, los enemigos ocultos, las balas perdidas que, de hacerle caso, destrozarían mi destino como si fuera un frágil tallo.

Vi lo que pasaba y creí que mi cabeza iba a partirse en dos. Los cadáveres cubrían las calles. Costillas rotas expuestas al aire; lenguas aplastadas en el barro; pies y brazos dispersos aquí y allá; los sesos reventados mostrando sus circunvoluciones. Esa horrenda visión hizo que comparase mi sufrimiento de hija bastarda a un grano de arena en un desierto.

La Abuela me alcanzó y quedó estupefacta. Había gente mirando y el blanco de los ojos se volvía más blanco, pues no se entendían nada. Las lenguas se pegaban a los paladares y los sonidos no pasaban de donde no hubieran tenido que salir nunca, de los pulmones. Los interrogantes flotaban en el aire y formaban una masa más brumosa aún por encima de nuestras cabezas.

–Quién los ha matado, ¿eh? –pregunté yo escandalizada–. ¿Quién y por qué los han matado?

Mis preguntas daban una y mil vueltas, trémulas en medio de todo aquel ruido de rabia contenida que vibraba, revolvía las tripas con espasmos repentinos.

–¡No está permitido asesinar, en absoluto, en absoluto! –grité yo–. ¡Nadie puede quitarle la vida a nadie!

–Tú cállate, Tapoussière –me dijo un hombre yéndose de la lengua–. No te inmiscuyas en esto, es peligroso.

El jefe del barrio, llamado con carácter de urgencia, acudió a toda prisa con una agitación pueril.

–Es un ajuste de cuentas –nos dijo, y yo me escurrí entre sus piernas.

–Entonces, ¿son cosas de gente de mal vivir? –pregunté.

El jefe, con un gesto, apartó mi cabeza.

–Déjame en paz mientras trabajo –dijo regañándome.

Y su pijama rosa caramelo pasaba por entre la gente.

–¡Un ajuste de cuentas entre gente de mal vivir!

Crucé las manos sobre el pecho y le miré de arriba abajo.

–No sirve de nada engañarme –dije.

El jefe no se dignó responderme y mis alpargatas mandaron unas adherencias de polvo a sus pantalones.

–Pero ¿por qué no van a matarse a otro lado?

Hinchó su boca y sopló con extrema lasitud:

–¡Ya estoy harto de hacer informes!

Nuestro jefe aún tenía la suerte de ser capaz de reaccionar. Yo estaba habituada a demasiadas miserias. Me impresionaban raramente; pues, en general, ya ni reparaba en ellas. De repente, el señor Robespierre cruzó entre la multitud y decretó:

–¡Esto es una cerdada de Su Excelencia el Presidente vitalicio! ¡Es un crimen político!

Estas palabras nos llenaron de miedo. Regresamos, en silencio, a nuestras casas.

El señor Robespierre continuó barbotando sobre la pérdida inútil de vidas humanas, haciendo cabriolas con horribles sentencias.

–¡Aquí lo que hace falta es una revolución en toda regla! ¡Una revolución!

Sus carnes se agitaban, su mirada se animaba y su voz atronaba.

–¡Valor, hermanos! ¡Hagamos la revolución!

Tuve el suficiente valor para entreabrir nuestras cortinas hechas con mantas y verle gesticular. De pronto apareció un grupo de militares, que se acercaron hacia el lugar del crimen como una oleada de serpientes. Arrojaron los cadáveres dentro de sus camiones. Una vez que hicieron lo que tenían que hacer, y que los muertos estuvieron donde tenían que estar, con el chófer al volante, le echaron el guante al señor Robespierre.

–¡Cerdos! –vociferó éste.

Los militares le golpearon con tal fuerza que cobré serenidad frente a mi propia muerte.

–¡Socorro! –gritaba él.

Pero nadie se movió y mi espíritu se replegó sobre sí mismo igual que un ciempiés. Yo era como la mayor parte de nosotros: tenía muy pocas posibilidades de envejecer, ¡pero arrojarme totalmente vestida en la boca del lobo, eso nunca!

Cuando la paz retornó a Kassalafam de forma incuestionable, mis compatriotas se dirigieron a casa de Madame Kimoto. Yo me uní a ellos.

–¡Madame Kimoto tiene información de primera mano, a causa de su «eso»! –dije–: ¡De primerísima mano!

Y apunté el lugar de mi sexo con el dedo, imitando al hacerlo a Madame Kimoto.

–«Eso» es el centro del universo –tenía costumbre de decir ella–. ¡Con «eso», yo me veo capaz de derribar a todo el gobierno de la República, incluso la francesa!

Una mujer, con la muerte pintada en el rostro, me mandó a hacer gárgaras.

–¡Deja ya de hablar, que la gente está harta de oírte!

Llegué a la conclusión de que estaba celosa de Madame Kimoto debido a su «eso».

–¡Qué casa de putas! –exclamé entrando en el establecimiento de Madame Kimoto.

Alrededor del mostrador del gran bar había botellas de cerveza vacías, y se veían colillas en el suelo por todas partes. La señorita Solange Nanga, una anciana, las iba recogiendo y depositando en una caja. Dejó lo que estaba haciendo y me miró de arriba abajo.

–Algo sabes tú de casas de putas, Tapoussière. ¡Pues has nacido en una de ellas!

Le saqué la lengua y mis compatriotas rompieron a reír. Algunas chicas de Madame Kimoto estaban arracimadas y somnolientas en sus sillas. Sus piernas, recogidas bajo sus barbillas, dejaban entrever debajo bragas de algodón o de nilón, de encaje o de blonda. De vez en cuando, sus labios, paralizados de cansancio, se recuperaban mediante largos bostezos.

–¡Dios mío, qué agotada estoy!

Tan pronto como nos vieron, se mostraron tan amables como una colonia de ladillas.

–¿Qué pasa? –preguntaron furiosas.

–¿Qué coño hacéis aquí? –interrogaban, vengativas–: ¿Quién os ha dado vela en este entierro?

Nos fusilaban con unas miradas de superioridad leonina.

–¡Volved a vuestras casas! Tenemos que recibir a gente importante.

Yo me sentía llena de valor, tranquilizada por la masa pataleante. Lo mismo que mis compatriotas, resistía los insultos y rechazos llenos de agotamiento sexual que se cruzaban por encima de nuestras cabezas. Debido al agotamiento, las chicas acabaron abriendo sus muslos, que se les habían ablandado a fuerza de disfrutar lo indecible:

–¡Sois verdaderamente unos salvajes!

Madame Kimoto, cubierta con una ceñida bata de color rojo y calzada con unas chinelas en las que revoloteaban unos pájaros con los colores del arco iris, apartó las cortinas de cuentas que separaban su habitación del bar e hizo su aparición. Sus ojos de ojeras violáceas repasaron a los presentes. Dio tres pasos hacia delante, de lo más teatral.

–Está magnífica, Madame Kimoto –dije yo adelantándome.

Luego, orgullosa de mí, miré a las dos mujeres que me había puesto como hoja de perejil antes de añadir:

–¡De lejos ni se le ven las arrugas!

–Gracias, Tapoussière –dijo ella–. Tú al menos sabes reconocer la belleza.

Vivaracha, volví a mi lugar mientras Madame Kimoto, con un gesto de sus dedos ensortijados, escenificaba el drama.

–¿No os habéis lavado aún a estas horas? –les preguntó a sus chicas, seca como el Sáhara.

Las chicas se levantaron despechugadas y desaparecieron tras unas cortinas, riendo y gesticulando en medio de un frenesí asombroso. Madame Kimoto se volvió hacia nosotros.

–¿A qué debo el honor de vuestra visita?

Sus ojos relucían de una inteligencia que me atemorizó, pero yo le sonreía. Un hombre se rascó la parte trasera del pantalón; una mujer se puso a buscar telarañas en el techo; otra sufrió un vahído, como un chorro de vapor, y se puso a transpirar copiosamente. Madame Kimoto se abanicó, hizo girar su lengua y acto seguido dijo:

–¡Estos hombres son guerrilleros!

Puse unos ojos como platos del estupor. ¿Guerrilleros?, pregunté yo, fuera de mí. ¿Dónde estaba su pueblo? ¿Quiénes eran sus padres? Probablemente no tenían ni siquiera familia. Madame Kimoto lanzó una solemne carcajada.

–¡Ay, Tapoussière! ¡Pero qué gracia tienes, criatura!

Explicó que aquellos hombres eran unos ladrones cuyo objetivo consistía en traer el desorden a nuestro país.

–¡Eso no justifica que nadie se merezca morir como un perro! –dije yo, y mis compatriotas asintieron.

Ella añadió que eran unos soñadores lunáticos, que perturbaban de ese modo el orden natural establecido de las cosas creadas por Dios Nuestro Señor.

–¿Acaso está prohibido? –preguntó un hombre–. Perdónanos nuestras ofensas así como nosotros perdonamos a los que nos han ofendido.

Y estuvimos de acuerdo. Pero cuando Madame Kimoto nos explicó que saqueaban tumbas, cambiamos de opinión.

–Un hombre que no respeta a sus mayores no es digno de tal nombre –apostillé yo, indignada.

–Habría que hacerles tragar trozos de cristal para que agonizaran largo rato –propuso una mujer.

A partir de ese momento, se regodearon en el horror.

–¡Hay que arrancarles las uñas y los cabellos uno a uno!

Se les ocurrían torturas dignas de un ayatolá.

–¡Hay que pasarles una plancha por la piel!

Finalmente, podíamos dar a nuestras angustias respuestas irrefrenables.

El jefe del barrio, que no se había dignado seguirnos, entró como un vendaval en la estancia.

–Tengo informaciones muy importantes que comunicaros –dijo enjugándose la frente.

–¡Tus informaciones ya sabemos lo que dan de sí! –repuse yo.

–¿Qué demonios te ocurre, Tapoussière? ¿No te habrás enamorado, por un casual?

Fue tal la vergüenza que sentí, que me mordí la lengua. Afortunadamente, nuestro jefe retomó la palabra para declarar:

–¡Queridos compatriotas, en este día de tan tristes sucesos, es mi deber informaros de que... que... que unos ladrones de sexos recorren la ciudad!

Nuestro jefe precisó que Su Excelencia el Gobernador de Su Excelencia el Presidente vitalicio había anunciado personalmente la noticia por la Radio Nacional Camerunense. Ponía en guardia a toda la ciudadanía acerca de la existencia de aquellos salteadores de caminos, aquellos violadores de ancianas, aquellos cortadores de sexos. Nos encarecía a que tuviéramos la más extrema prudencia. Nos invitaba a que cívicamente avisáramos a la policía de la presencia de toda persona ajena a nuestra comunidad.

Tuve la impresión de que un viento glacial se había levantado del norte e infiltrado en nuestros corazones de chabolistas. Un sudor frío chorreaba por nuestras espaldas, empapaba nuestras manos.

Abandonamos a toda prisa el bar de Madame Kimoto. Nos pusimos a bramar por las calles, difundiendo la desinformación, como si fueran trampas de caza.

–¡En la ciudad hay cortadores de sexos! ¡Pongámonos dos faldas en vez de una antes de que nuestros sexos desaparezcan!

Unas mujeres se contorsionaban y se ponían a danzar de forma tan ilógica pero al mismo tan natural que se hubiera dicho que era la respuesta a esa angustia.

La Abuela consideró la catástrofe como algo propio de una pesadilla. Estaba sentada detrás de nuestra choza, totalmente desnuda. Su vientre ajado le caía sobre los muslos; sus piernas enflaquecidas semejaban dos leños; sus pechos fláccidos tenían un aspecto horrible. Se estaba lavando y, apenas me vio, sus huesos crujieron y se incorporó.

–Así pues, ¿hay ladrones de sexos? –dijo con una ahogada risa–. ¡Eso te demuestra al menos que no he sido yo quien le ha robado el sexo a Jean Ayissi! –El sol hizo brillar sus ojos–: ¡Yo ya no tengo nada que temer! ¡La sexualidad forma parte de un camino que he dejado atrás para siempre!

Se enjabonó abundantemente y, con gran énfasis, preguntó:

–¿Adónde va el mundo? ¿Qué sentido tiene Dios para los humanos?

Luego, en una lengua en la que se mezclaban la de sus mayores, la de los fariseos y la de los profetas, me explicó que el universo actual se encaminaba hacia la ruina. ¡No éramos más que unos badulaques, unos blandengues gusarapos y unos descerebrados! A medida que hablaba, se iba frotando cada vez más fuerte con sus manos temblequeantes, pasándoselas una y otra vez por sus brazos, sus piernas, por entre los dedos de los pies, las axilas. Incluso el orificio de la nariz no se libró de tan asombrosa higiene.

–Eso no sirve de nada. ¡No lavará tu conciencia!

–¡No tengo nada que reprocharme!

–Yo sí –dije. Y sin darle tiempo a responder, pregunté–: ¿Quién es mi padre?

–Eso pregúntaselo a tu madre.

Acto seguido, brusca como una tempestad, me ofreció su kuscha.

–¡Frótame la espalda!

Miré la kuscha sin que me hiciera ni pizca de gracia.

–¡Frótatela tú!

Y me di la vuelta para irme.

–Vuelve al instante a frotarme la espalda –gritó la Abuela.

Me tapé los oídos, porque ya había recibido bastantes vejaciones o tenía demasiado odio acumulado en mí, porque había sentido en exceso el peso de la vida o de la amargura. La Abuela corrió tras de mí, irreflexiva. En su precipitación, no se tomó siquiera la molestia de volverse a vestir y todos pudieron contemplar el espectáculo de su desnudez y aplaudir como en señal de apoteosis ante aquellas carnes en vías de extinción.

–¡Vuelve inmediatamente a frotarme la espalda!

La señorita Etoundi, que estaba preparando entre cánticos unos pasteles de amor en forma de corazón, una sopa de amor bastante picante para sazonar la cosa, una papaya también de amor con cáscara de limón, me hizo una señal con su mano enharinada.

–¿Qué es lo que pasa? ¿Se ha vuelto loca la vieja, o qué?

–¡Eso a ti no te incumbe! –dije yo–. Vivimos en una República. La Abuela es muy libre de elegir la locura si quiere. Y también yo.

La señorita Etoundi se irguió:

–¡No hasta el punto de faltarle al respeto a todo el mundo!

Yo rompí a reír.

–¿Qué respeto puedes exigir cuando ni tú misma respetas el camino que te has trazado? Has abandonado tu oficio para liarte con ese tipejo cuando...

Me abofeteó tan enérgicamente que me enrosqué sobre mí misma y acabé pegada contra la pared. Estallé en sollozos y todos mis rencores ahogados volvieron a aflorar y nublaron mi mente. Desahogué mi corazón. Hablé de mi necesidad de padre. Lo conté todo. Mis sospechas, mis incertidumbres, mi furia, mis angustias. Mis frases surgían entre hipidos, descosidas. Eran frases de loca o de alucinada. La Abuela estaba a unos pocos pasos de mí, pero ni la menor respiración revelaba su presencia, como si hubiera quedado embotada en un estado de idiotez.

La señorita Etoundi me abrazó y se me llevó con ella.

–No llores... Calma, muchacha... Todo irá bien.

Me abandoné en sus brazos como el agua que corre. Me hizo sentarme en su cama. El señor Conductor estaba durmiendo en ella, roncando, de cara a la pared. Ella lavó mi cara con agua jabonosa. Me hizo oler agua de colonia, me ofreció un vaso de Coca-Cola y mis ideas se aclararon. A continuación sólo fui capaz de decir:

–Perdóname por lo de hace un rato.

–No tienes por qué excusarte, Tapoussière. ¿Sabes?, también yo he sufrido...

Su tristeza me conmovió, sin que yo tratara de comprender la naturaleza de dicha desgracia. Era algo poético estar así, una al lado de la otra, porque ambas habíamos conocido los tormentos del alma y habíamos pasado noches enteras en vela locas de dolor.

El señor Conductor abrió un ojo.

–¿Qué pasa?

–Nada, es Tapoussière. Quiere conocer a su padre.

–Lo que tiene que hacer es estudiar –dijo con voz adormecida–. ¡Luego no le faltarán todos los padres, hermanos e incluso maridos que quiera!

Se durmió de nuevo como si su sueño le pusiera al abrigo.

Era ya hora de regresar para ver la espalda fascinante de la Abuela.

Mi comportamiento horrorizó a la Abuela y le infligió un terrible sufrimiento, pero lo aguantó. Era una mujer estoica a la que le gustaba luchar contra todo: el orden establecido, las dichosas susceptibilidades, el qué dirán, siempre y cuando considerara que perturbaban su tranquilidad o su destino.

Como una inconsciente, yo no volví sobre ese episodio. Las palabras del Conductor me perseguían: «Lo que tiene que hacer es estudiar. ¡Luego no le faltarán todos los padres, hermanos e incluso maridos que quiera!». ¿Correspondería, si era yo brillante, el Maestro a mi amor? Así lo creía yo. Sentía una necesidad imperiosa de soluciones inmediatas y tomé una decisión: quería elegir lo que más me conviniera. Me imaginaba paseando por la sección de un supermercado donde había expuestos hombres, seleccionando como un ama de casa preocupada por el ahorro, palpando, comprobando la calidad y consistencia de la mercancía. No era ya una cuestión de corazón, sino de orgullo y supervivencia.

Los días siguientes trabajé mucho. Estudié quebrados; repasé Geometría, machaqué mi curso de Historia. Allí donde estuviera, en casa o en la calle, bajo la farola o en la escuela, mis cuadernos me acompañaban en medio de la excitación intensa de que quien quiere puede, un ahínco perpetuo que me evitaba ese desmoronamiento estremecedor de las últimas semanas.

La Abuela me vigilaba de tarde en tarde, y yo veía unos intereses contradictorios pugnar en su mirada. Con legítimo egoísmo, me espetaba:

–¡A base de tirar de la cuerda, acabarás rompiéndola!

Algunas veces también, cuando yo estaba inclinada sobre mis cuadernos estropeándome la vista a la luz de la lámpara, la Abuela encontraba excusas útiles para atraerme a sus creencias.

–Cuentan que...

–¿Qué?

–Había una vez un arroyo que quería convertirse en un río. Todas las mañanas, al venir los pájaros del cielo a beber de sus aguas, el arroyo gemía: «¡Dejad de beber de mí! ¡Pues me impedís crecer, aumentar mi caudal como ese otro río, que se lo traga todo, tanto las aguas del cielo como mis pobres ramales que no puedo contener». Ante estas palabras, los pájaros del cielo replicaban: «Nosotros te queremos, arroyuelo. Tus aguas son tan claras, tu fondo tan límpido... Tu minúsculo tamaño hace de ti una joya... ¿Para qué querer asemejarse al río?». El arroyo se ponía triste, lloraba. Una mañana se le ocurrió una brillante idea. Miró a su alrededor y vio los árboles: «Árboles», –les dijo–, «tengo ganas de crecer. Alimento vuestras raíces desde hace siglos, sin obtener nada a cambio. ¡Pero ahora ya estoy harto! Quiero que extendáis vuestras ramas y vuestro follaje, impidiendo así a los pájaros que vengan a quitarse la sed en mí. ¿Puedo contar con vosotros?». Los árboles asintieron y le concedieron lo que deseaba. El arroyo, satisfecho, se volvió hacia los montículos de tierra que le rodeaban. «Montículos», –les dijo–, «tengo ganas de crecer. Mis aguas han calmado vuestra sed desde hace siglos, sin obtener nada a cambio. Me gustaría que me hicierais un favor: amontonaos allí donde mis ramales desembocan en el río». Los montículos de tierra obedecieron.

Cuando los pájaros llegaron al día siguiente, no encontraron ninguna vía de acceso al arroyo y se pusieron a derramar lágrimas. El arroyo estaba radiante de júbilo: «¡He ganado! ¡Voy a crecer!».

La Abuela dejó de contar su fábula, luego se volvió hacia mí.

–Según tú, ¿en qué se convirtió el arroyo?

No respondí, prefiriendo hacer un esfuerzo de concentración sobrehumano para no ocuparme en absoluto del calamitoso destino del arroyo. Yo no ignoraba nada de su moral, que se resumía en «piensa como una persona mayor y sigue siendo niño». Yo quería aprobar mi examen de acceso a sexto y obtener el certificado de estudios primarios.

Mis compatriotas tenían otras cosas que hacer y no se preocupaban de mis inquietudes. A causa de los ladrones de sexos, el miedo dejaba oír sus crujidos bajo sus pies. Una verdadera locura se abría paso en los dédalos apergaminados de sus cerebros. Desbarataba las costumbres, hacía pedazos la lógica y se extendía, volando sobre la superficie del suelo como un fuego incontrolable en la sabana. Nuestras vidas se transformaban, gracias a unas informaciones manidas, trilladas y sobadas. ¡Se afirmaba que se había robado el sexo a numerosas mujeres y despojado de sus senos a unas viejas! En cuanto a los hombres, eran curiosamente sus testículos los que desaparecían, vete tú a saber por qué... El temor se iba apoderando peligrosamente de la gente. Se demoraban en los cafés, al borde de los caminos, tapándose la boca, devanándose los sesos, intentando dar con el cómo y quiénes eran los responsables de esos actos ignominiosos. ¡Poco a poco la gente se convencía sin ambigüedad de ninguna clase de que eran unos nigerianos, unos haoussas del norte, unos salamecs del sur los ladrones de sexos! ¡Todos extranjeros, vete tú a saber por qué! Se decía que bastaba con un simple roce personal, por más mínimo que fuese, para que los atributos de uno se desvanecieran, ¡*flas*!

Se subrayaba todo ello con algunas recomendaciones.

PRIMERO: No saludar a ningún extranjero.

A CONTINUACIÓN: Señalar su presencia a las autoridades o bien pedir socorro a la población.

POR ÚLTIMO: Vestirse de forma conveniente.

Las minifaldas desaparecieron. Los vestidos fueron a parar a los armarios para ser pasto de los ratones. Hasta las putas de Madame Kimoto reemplazaron sus susurrantes faldas de volantes por unos kabagodos tan largos que barrían el suelo. La señorita Etoundi exclamaba:

–¡Ay! ¡Dios me ama!

Mientras cocinaba hacía entrechocar las cacerolas para que al señor Conductor no le cupiera la menor duda de que era una verdadera mujer de su casa. Se enorgullecía de la estupenda suerte que había tenido al encontrar un marido antes de que ocurriera semejante catástrofe. Corría hacia él, le besaba, pasaba sus dedos por entre sus cabellos manchados de barro.

–¿Tienes hambre, querido mío? ¿Te gusta la salsa ngombo? ¿Te gusta esto o lo otro? ¿Quieres esto o lo otro?

Al oírla, el furor henchía sus plumas en mi corazón hasta adquirir la corpulencia de una oca. ¡Yo ponía mala cara y me iba con la música a otra parte!

A otra parte, sí. El Maestro pugnaba duramente para que reinara de nuevo el sentido común. Cuando yo llegaba con retraso a la escuela, tenía una justificación como una casa.

–No he podido llegar antes, señor Maestro, porque un hombre extraño estaba apostado en una esquina de mi calle. Estoy segura de que se trataba de un cortador de sexos. He preferido esperar a que se fuera...

¿Que no comprendía las lecciones?

Ésta era la justificación:

–Estoy trastornada por lo de los ladrones de sexos, señor Maestro. Para qué me servirían los estudios si no fuera ya una mujer, quiere usted decírmelo, ¿eh?

Y yo pensaba para mí: «¡Usted ya no podría quererme!».

El Maestro las pasaba moradas. Atravesaba el aula de clase, a grandes zancadas y con gran movimiento de brazos, para luego abalanzarse sobre mí como un huracán.

–¿Qué burradas, estupideces, tonterías son éstas a lo Don Quijote?

–¡Los ladrones de sexos son espíritus malignos! –decía yo.

El Maestro se volvía temible. Exponía extrañas teorías, las de la verdad científica. Me aseguraba que nuestras creencias no eran sino puras patrañas, un fantasma colectivo, peligroso para la futura intelectual que era yo, estando como estaba destinada a dar lustre, gracias a mi certificado de estudios, al Templo de la Sabiduría.

Mis camaradas estaban embarcados al igual que yo en la nave de la superstición con sus vergas y océanos infinitos que no dejaban ver ninguna tierra virgen. Apenas el Maestro terminaba su exposición, nosotros uníamos nuestras voces para rebatir la legitimidad de sus reflexiones. Estábamos tan acalorados que nos volvíamos indeterminados. Hablábamos todos a la vez.

–¡Los espíritus nos rodean por todas partes!

Parloteábamos y emitíamos ruidos semejantes a los crótalos furiosos.

–¡Pero este tipo está completamente loco! ¡Esto es pisotear a la Negritud!

María Magdalena de los Santos Amores era la más vindicativa de todos. Trataba al Maestro de «¡Blanco macabo!». Se abanicaba con su pañuelo, que parecía un gran macaón con las alas a franjas rojas. Chillaba:

–¡Blanco sin nevera!

El Maestro se desvivía por hacer reinar la paz.

–¡Silencio!

Golpeaba su regla contra el escritorio.

–¡Callaos, panda de negros!

Sus ojos incandescentes mostraban una mirada pesarosa.

–¡Todavía no hay ningún ángel negro en el cielo!

Tal vez. Pero nosotros éramos conscientes de la presencia de los espíritus sobre la faz de la Tierra.

Finalmente, se armaba tal zipizape que las nubes se deshacían, el sol giraba como una moneda de veinticinco francos y el suelo se abría bajo mis pies.

¿Acaso estaba a punto de caerme? El Maestro consultaba su reloj.

–¡Ya es la hora! –anunciaba, derrotado de antemano.

Nosotros salíamos armando bulla.

Aquel día, andaba yo al lado de la guapa María Magdalena. El sol había reaparecido. Devolvía un poco de buen humor y exaltaba los colores. Por doquier, hombres y mujeres iban y venían, tapados hasta las cejas. Corrían el riesgo de deshidratarse dentro de sus jerseys de cuello alto, embutidos en sus pantalones de lana escocesa o con sus tres taparrabos superpuestos. Sudaban tanto la gota gorda que el acre olor del sudor llenaba nuestros pulmones.

Yo andaba doblada bajo el peso de los efectos personales de María Magdalena de los Santos Amores. Me sentía eufórica por ello y cualquiera que se hubiera cruzado conmigo no hubiera podido dejar de pensar que era rica, propietaria de una verdadera gran cartera de escolar. Ella se había recogido las trenzas enrolladas a modo de macarrones como una suiza. Sus ojos negros reflejaban la luz y sus pies acariciaban el alquitrán como si fuera una prima donna.

–¿Es que las cosas no van bien con el Maestro? –le pregunté con esperanza–: ¿Ya no le quieres?

María Magdalena hundió la uña del pulgar en su palma.

–Eso no es de tu incumbencia, ¿de acuerdo?

Yo me sentía devorada por la curiosidad y de amor por el Maestro, pero no seguí preguntándole, por temor a perder su amistad. Tenía todas las de ganar con ello, pues, con su cartera, la gente se volvía.

–¡Pobre pequeña! ¿Has visto su bolsa? –me compadecían.

–¡Mira para qué sirve ser más inteligente que los demás!

–¡A este paso, corre el riesgo de hacerse vieja antes que nadie! –concluían.

María Magdalena no les desmentía, como si los estudios abarcaran conocimientos que no servían para nada. Se sumía en unos pensamientos estrafalarios y se volvía tan extraña para mí como la otra cara de la luna. Sin embargo, iba como de costumbre perfumada y sus labios rojos relucían cual picha de cachorro.

Llegamos a la sandwichería donde un negro de trágica figura estaba despachando los pedidos. Apenas vio a María Magdalena, se desvivió en atenciones.

–¿Qué desea la señorita? ¿Un sándwich de jamón y queso o chocolate?

Unos estudiantes protestaron.

–¡Nosotros estábamos primero!

Ya podían desgañitarse, pues el vendedor se sentía crecido y sus gestos traicionaban las misteriosas urgencias de su instinto.

–¡Toma, guapa!

–Gracias –dijo María Magdalena cogiendo con la punta de los dedos su sándwich, que se puso a devorar con glotonería.

Yo hubiera querido pedir algo, pero no tenía dinero. Hice ademán de mirar hacia otro lado para no dar la impresión de ser una pedigüeña.

–Toma –dijo María Magdalena pasándome lo que quedaba–: ¡una esquinita!

Mi asombro por su generosidad no duró mucho que digamos, ya que vi acercarse al señor Fayeman. Los ladrones de sexos no le tenían preocupado lo más mínimo. Gastaba sarcásticamente un traje de color pata de gallo, un sombrero de ala ancha y unas Ray-Ban.

–Tienes que creerme –le dijo a María Magdalena cerrando los párpados–: ¡Cómeme la boca, déjate llevar por mí y tendrás tanto calor que te refrigeraré!

Noté entre ellos una corriente subterránea que amenazaba con sacarles de nuestro presente. No fui la única, pues unos niños berreraron:

–¡Id a hacer vuestras guarradas a otro lado!

María Magdalena hizo un guiño.

–¡Panda de salvajes!

Sus rasgos se encogieron orbitalmente en torno a su nariz:

–Se ve que no tenéis ni zorra idea de lo que es flirtear.

Se arregló el cabello.

–Os compadezco, ¿sabéis?

Él se alejaba ya, y María Magdalena le seguía con la mirada perdida como si saboreara un recuerdo. Deslicé mi mano subrepticiamente en la suya, creyendo así impedir que se desintegrara.

Reanudamos el camino hacia la escuela. A lo lejos, unos niños jugaban en un descampado. Una mujer hacía la colada mientras un hombre la ponía como un trapo.

–¿Es que hoy no se come en esta casa?

Más lejos, estaban linchando a un nigeriano sospechoso de haber robado un sexo. Un cuervo descendió hasta nosotros y yo le dije a María Magdalena que su comportamiento provocador podía desatar la hostilidad de la gente.

–¡Me importa un bledo la gente!

Entramos en clase. El Maestro estaba en la pizarra escribiendo los nombres de unas montañas.

–El monte Camerún, el Kilimanjaro, el Everest.

Daba sus dimensiones, sus altitudes. María Magdalena no le dirigió ni una mirada. «Eso no significa nada», me dije, prudente.

Me senté y las cifras bailaban ante mis ojos y las palabras que pronunciaba el Maestro se volvían pesadas como piedras. Al final, me sentí tan vacía que mi cabeza se desplomó sobre mis hombros. Me dormí y abrí los ojos al tiempo que estornudaba: era el Maestro que pasaba entre las filas de bancos y nos despertaba metiéndonos pimienta en la nariz.

–¡Atchís! ¡Atchís!

–¡Qué modales son éstos! –espetó María Magdalena de los Santos Amores.

Creí estar soñando. ¿Era al hombre que amaba, aquel a quien había entregado parte de su alma, a quien hablaba así? Me entraron ganas de batir palmas, de tan feliz como me sentía de desembarazarme de esa rival a la que yo quería.

–¡Salga inmediatamente de mi clase, señorita!

María Magdalena atravesó las filas de bancos con sus andares contoneantes y luego miró al Maestro de arriba abajo. Una emoción extraña brillaba en sus ojos: la de las separaciones y los adioses. El Maestro la observó alejarse.

De vuelta a casa, me encontré a la Abuela ocupada en trenzar una estera entremezclando colores paja, rojo y amarillo. Yo observaba sus dedos cuya agilidad en semejantes circunstancias me dejaba perpleja.

–¿Sigues siendo amiga de esa María Magdalena? –me preguntó.

Ignoraba adónde quería ir a parar.

–Se ha dejado embarazar por ese tipo, ese Maestro de chicha y nabo.

Sentí tanto frío que me recorrió un estremecimiento, al que siguió un arranque de ira: ¡María Magdalena llevaba a *su hijo*, por lo que un lazo indefectible se establecía entre ellos, cuando yo ni siquiera tenía la regla! Fue tan grande mi pesar que una duda surgió en mi mente: ¿cómo lo sabía la Abuela?

–No he acabado aún de educarte –me dijo–. Por ello te pido que no la sigas frecuentando.

Hundí los dedos de los pies en el suelo, negándome a cruzar mi mirada con la suya. Ni que decir tiene que no le iba a permitir que dictara mis emociones. Esta vez no.

–¡Es mi amiga, y la quiero!

Hubiera tenido que añadir: ¡aunque me acaba de birlar al hombre que amo!

–La quieres, ¿y qué más? ¡Los sentimientos no son sino humo!

–Para mí es como una hermana –murmuré, convencida de que ella no podía entenderme.

–Cuando yo no esté ya en este mundo podrás hacer lo que te venga en gana. Mientras... no te dejaré que eches a perder tu vida. ¡Llevas el alma de una Assanga Djuli!

Me apresuré en ir a buscar la vasija de las ristras de mandioca, que coloqué sobre mi cabeza.

–Esta tarde no –dijo la Abuela dejando su labor–. Tenemos cosas que hacer.

Estaba dispuesta a aceptar cualquier cosa, con tal de que se me fuera aquel horrible sufrimiento.

–¡No me veo capaz!

–Desde que naciste, vi las posibilidades que había en ti. Por eso te he mantenido a mi lado y quiero enseñarte todo lo que yo sé...

La Abuela estaba arrodillada en el jardín, sobre una estera. Una lámpara de petróleo proyectaba unas amplias sombras sobre las altas hierbas y les confería un aire pretencioso.

Yo estaba de pie delante de la Abuela. Oía la fuerza del viento, presentía los misterios que las algodonosas nubes encerraban en su interior. No estaba dispuesta a entrar en ese universo donde la Abuela veía cosas que andaban a través de los montes y volaban por los aires cuando el resto de los humanos no las veían. No quería vivir en el espíritu y hacer míos los secretos del mundo.

–Es peligroso –le dije a la Abuela–. ¡Sería mucho más simple si fuera como para los cristianos!

–¡Quítate la ropa!

Una vez que mis ropas estuvieron plegadas, me hizo tumbarme y sopló las llamas. La lámpara se apagó, y yo me estremecí. La Abuela se puso a masajearme con grandes y bruscas friegas, mientras salmodiaba algo. Tenía la impresión de ser un objeto al que ella daba forma, trazando la línea de mi columna vertebral, ajustando los huesos de mis costillas, apoyando las dos manos en mi vientre para hacerlo más permeable. Mis carnes se inflamaron, como si les hubieran acercado una vela.

–Esto va a funcionar –dijo.

La Abuela levantó mis párpados y derramó en mis ojos un jugo de hierbas machacadas que había envuelto en una hoja de banano. Mi piel perdió toda sensibilidad y dejé de sentir mis labios; mis piernas se aflojaron y mi cabeza se volvió pétrea. Pronto no fueron ya sólo las manos de la Abuela, sino numerosas las manos que me tocaron. Unas manos desconocidas acariciaban mis cabellos; otras seguían palpando mi cuello, mis caderas; otras se deslizaban por entre mis muslos y separaban mis piernas.

No notaba ya el suelo bajo mi cuerpo. Flotaba en un océano. Las casas desaparecían, así como también los hombres. Los pájaros y los árboles se volvían un recuerdo, nada más que agua, por todas partes, agua y nubes. Tenía ganas de agarrarme a algo, a una mesa, a un tabique. Mis manos tanteaban, vagabundas. En esa lucha por la supervivencia, no experimentaba ni odio ni amor, ni tampoco ese desprecio altanero que sentía por Andela, a la que no conocía. No tenía más que una necesidad: existir simplemente.

Soy Andela, me gustan los hombres.

Soy María Magdalena, llevo una serpiente de seis cabezas en mis senos.

Soy Barabine, soy estéril e inexistente.

Y luego también Mamá Mado, he perdido un pie en un cepo para lobos.

Y Madame Kimoto, morí de parto cuando mi leche habría podido dar de comer a mil niños.

¡Por encima de todo, yo era la Abuela!

Resonó un tambor en mi cráneo que trastornó mi cerebro:

–¿Qué hago yo aquí? ¿Quién me ha transportado hasta este lugar?

Miré a mi alrededor y me llevó algunos segundos reconocer nuestra habitación. El colchón de paja estaba mojado y creí haberme hecho mis necesidades encima. Pasé las manos por la sábana y me di cuenta de que había sudado. Lancé un suspiro de alivio, me incorporé y masajeé mis sienes. Cuando el dolor se atenuó, salí titubeando, deslumbrada por las lanzas aceradas del sol.

La Abuela estaba sentada bajo la veranda, cantaba mientras desplumaba una pata negra y su voz rota envolvía el mundo como una cáscara de huevo. Las plumas volaban por todas partes, creando un huracán que se desplazaba a merced del viento. El perro vagabundo contemplaba las aves de corral y babeaba. Tan pronto como aparecí yo en el umbral, la Abuela descoyuntó su cuello.

–Me duele la cabeza –dije antes de que abriera la boca.

–Te has encontrado con los espíritus –afirmó la Abuela–. Te has vuelto su esposa. De ahora en adelante, te protegerán.

–No sigas –repliqué tapándome los oídos con las manos–. Deberías transmitirme tus conocimientos en pequeñas dosis, una pequeña dosis por vez; si no, me volveré loca.

La Abuela no insistió y se mostró casi deferente conmigo.

–¿Te apetecen unos buñuelos de alubia?

No me dejó elección, como de costumbre. Se levantó, trajinó un poco por la cocina y regresó unos instantes después. El olor a aceite de palma se mezclaba con los que salían del vientre de las casas, el pestazo de las letrinas, de las zanjas, de las cloacas y de las comidas de pobre. Triunfante, colocó los platos delante de mí y me obsequió con una sonrisa.

–Eres una Princesa y portadora de la luz del mundo... Si sigues por este camino, te convertirás en una reina, una reina pura y tu alma será tan resplandeciente como unos dientes de leche.

–Deja de soñar, Abuela. ¡No soy más que la Tapoussière y nadie me quiere!

Ella asió mis brazos con un gesto impaciente.

–Los cauries así lo creen y yo también. ¿Sabes qué han dicho las mujeres del barrio de ti?

Yo no reaccioné. Ella insistió.

–Me han dicho que hablas mejor el «franchute» que ningún otro niño de tu edad... Están convencidas de que te convertirás en una verdadera señora.

Se quedó jadeando unos minutos, con los brazos colgando y pensativa, como si guardara en su corazón un inquietante pensamiento, el germen secreto de un mal inevitable. Luego, tan bruscamente como un cambio repentino de tiempo, se sentó. De una cuchillada, abrió el vientre de la pata y extirpó los intestinos, que sacudió como las pesas de un péndulo antes de tirarlos. El perro vagabundo se precipitó sobre ellos y empezó a devorarlos. Yo pasé la lengua por mis encías y hube de contener unas náuseas.

–Me voy a la cama –dije estirando los brazos.

–¡Casi no has comido nada!

–¡Tengo ganas de dormir tres siglos de un tirón!

–Presta atención a lo que te digan los sueños.

Me había fundido ya entre las cuatro paredes de la habitación. Tuve un sueño agitado. La experiencia de la víspera resonaba fuerte aún dentro de mí y mi espíritu estaba invadido por voces de adultos, gritos, lamentos, letanías, recriminaciones y toda una retahíla de canciones agresivas. De vez en cuando, era el bonito rostro de María Magdalena el que se me aparecía, turbadora como una recién casada, cubierta de flores de azahar, que se abandonaba ahíta de felicidad en brazos del Maestro. Entonces me sumí en la melancolía propia de la fantasía.

En realidad, estaba temblando. Tenía fiebre y los labios agrietados. Mis piernas entrechocaban de agotamiento y mi garganta estaba tan seca que tenía la impresión de estar tragando piedras. La Abuela se movía intranquila alrededor de mí.

–¡Debes viajar por el mundo de los espíritus, pero no vivir con ellos!

Levantó mi cabeza, me hizo tragar un brebaje nauseabundo y negro como meados de vaca.

–Debes tener el valor de elegir el día de tu muerte, pero aún no ha llegado el momento.

Enjugó mi frente.

–¡No porque entre uno en casa de un vecino está obligado a compartir su cama!

Salió y la oí remover su bastón en el huerto de plantas medicinales. Regresó, cargada de hojas de todas las especies, que puso a hervir en una gran cacerola e instaló una habitación para la sudoración hecha a base de ramaje y unas gruesas mantas. Cuando se sintió lista para luchar definitivamente contra la enfermedad, me obligó a entrar en la sauna. Luego cerró todas las aberturas.

Estaba oscuro. La gruesa olla despedía vapor y los olores de las plantas me asfixiaban. Mis ojos ardían, cada inhalación escaldaba mis pulmones, pero descongestionaba mi nariz. Yo transpiraba. Quise salir de tanto calor como tenía, pero la Abuela me atrapó y me volvió a instalar con autoridad dentro de aquel horno.

–Quieres convertirte en una mujer, ¿no es cierto?

Hice un gesto afirmativo con la cabeza, y ella añadió:

–Entonces, tienes que aprender a soportar el sufrimiento.

No tenía forma de volver a escapar. Me pasé diez minutos diciendo oraciones y otros diez maquinando toda clase de astucias. Me imaginé paisajes idílicos, las orillas de un océano azulado, barcos cabeceando y vientos del norte soplando en alta mar. De vez en cuando, la Abuela sacudía las gruesas mantas:

–¿Va bien la cosa? ¡Respira! ¡Respira hondo!

Yo no respondía, pero ¿tenía aún lengua? Cuando consideró que había transpirado lo suficiente, apartó los faldones de las pesadas mantas que caían a lo largo del ramaje.

–Puedes venir.

Salí y una luz deslumbrante que resultó ser la del sol me hizo entornar los ojos.

–Estás curada –me dijo.

Me quedé patidifusa, pues me sentía completamente agotada. Sin ceder un ápice en su actitud, la Abuela derramó sobre mí un balde de agua fría. Me secó con unas hojas de banano y me dio un empujoncito.

–Ahora ya puedes seguir con tus sueños...

Me desperté sobresaltada; en la habitación reinaba casi la oscuridad y unas voces amenazantes hacían temblar las paredes.

–¡Devuélvenos nuestro dinero, vieja bruja!

Una mujer peroraba sin cesar.

–¡Bruja sin poderes, bruja que no sirve para nada!

En menos de lo que cuesta decirlo, salté de la cama.

El sol había iniciado su órbita descendente. Todas «las asociadas en la desgracia» estaban allí y amenazaban a la Abuela. Podía verse a Gatama, a Dorotea, a Biloa y a muchas otras que, algunas semanas antes, suplicaban a la Abuela que confiscara la virilidad de sus esposos. Algunas se agitaban, levantaban los brazos cual cazadores que blandieran sus armas y lanzaban unos gritos ensordecedores: «¡Bruja de pacotilla!», hasta tal punto que hubiérase dicho que tenían mil bocas. Las más calmadas dejaban fluir su desaprobación silenciosamente en forma de lágrimas resbalando por sus mejillas.

–¡Ella me ha robado todos mis ahorros, Señor! ¿Qué va a ser de mí?

La Abuela estaba sentada sobre una estera y rompía maníes que iba depositando en una olla. No reaccionaba, como si todo aquello no fuera más que un zumbido de abejas. Sentí mis huesos atirantarse por simple mimetismo y mis primeras palabras fueron:

–¡Dejadla tranquila!

En bloque, «las asociadas en la desgracia» se volvieron y sus miradas se cruzaron con la mía, armas en alto.

–¡Tu Abuela no es más que una ladrona! –exclamó Gatama.

–No –dije yo con convicción–. Es una mujer con conocimientos que no hace uso de su magia más que con fines positivos...

–¡Que nos devuelva nuestro dinero!

Traté de explicarles que la Abuela se merecía ese dinero porque ella les había dado una esperanza, razón suficiente para vivir. Pero las mujeres no me escuchaban, escandalizadas por lo que consideraban un timo.

–¡Queremos nuestro dinero!

Despechada, las miré de arriba abajo.

–¡Id a presentar una denuncia y vuestros maridos se enterarán de todo!

Ellas me miraron enloquecidas como bestias sin guarida.

–¡Mira que bien! –gimieron, sofocadas–: ¡De tal palo, tal astilla!

Me soltaron unos insultos repugnantes y sus maldiciones formaban una cloaca por encima de mi cabeza que iba volando a desaguar su porquería en alta mar.

–¡Pura escatología! ¡Mugrientas roñosas! ¡Lameculos!

Era jugarse el todo por el todo, la ofensiva falaz de una comedia que se transformaba en farsa.

Hartas de lidiar, se alejaron, inquietas, agitadas, preguntándose, respondiéndose en medio de aquel desorden, indignadas por nuestra falta de reacción. Seguí vagamente con la mirada a ese grupito de mujeres miserables, derrotadas por la vida, extenuadas, rotas, agarrándose a un marido como se agarra uno a un salvavidas para no morir solteras.

–¡Beyala B'Assanga!

Me volví de golpe y los labios de la Abuela se movieron como un ligero viento.

–Todas esas plantas con las que las mujeres espolvorean la comida de sus maridos son ineficaces... –comenzó diciendo.

Cruzó las piernas y sus ojos relucieron como dos flores negras.

–Los hombres tienen un espíritu tan débil que basta con muy poco para hacerles felices: 1) escuchar las historias que les gusta contar; 2) prepararles unos buenos guisos, y 3) quererles cuando lo piden.

Yo no estaba tan convencida de ello, pero me prometí a mí misma que si, por alguna feliz conjunción de astros, el Maestro me aceptaba, aplicaría esas recetas para sus más extraordinarios placeres. Y eso fue todo.

En esos primeros días del mes de junio, las lluvias se presentaban a paso prudente como los discursos de los políticos. No ponían nervioso a nadie. Acariciaban los tallos lo suficiente como para que sus raíces reverdecieran. No inundaban las calles hasta volverlas intransitables. Sin caer a cántaros, alimentaban las plantas, las regaban sin insistir y las abandonaba, apresuradamente, dejando que su olor impregnara la tierra.

Sentada detrás de mi pupitre, terminé mi examen para sacarme el certificado de estudios primarios. Estábamos dispersos, uno por banco, para evitar que usáramos chuletas, copiáramos y otros absurdos que habrían invalidado la obtención del diploma. Yo estaba aislada en medio de unos candidatos a los que no conocía ni por asomo. Dos maestros cuya procedencia ignoraba estaban pedientes de nosotros y nos provocaban verdadera angustia.

–¡Vamos, deprisa! ¡A concentrarse! No olvidéis escribir vuestros nombres en las copias.

Mi corazón latía con fuerza en mi pecho; mi pluma se sobresaltaba entre mis manos y más de una vez tuve que recuperarla. Mis labios también temblaban y tuve la sensación de tener la cabeza vacía como una nuez. Escribía, temerosa, pero impulsada no obstante por la fuerza y la energía de algunos gritos de dolor, de algunas palabras espantosas, de grandes maldades que yo guardaba en el fondo de mi memoria. Cuando todo hubo terminado, estando ya mi destino sellado, devolví mi hoja, salí a todo correr, poco menos que huyendo, como si todas las fuerzas del mundo amenazasen con asaltarme. No era la huida de un animal enloquecido, sino la de un condenado a muerte a quien acaban de anunciar su sentencia. Atravesé por entre la multitud de niños que parloteaban y comentaban su trabajo.

–Yo te digo que el verbo concuerda con el complemento directo.

–No, te equivocas, es con el sujeto...

Discutían enérgicamente, gritando casi, intentando cada uno tener razón. Yo oía sus voces, pero no distinguía sus caras. Evitaba mirar a la masa andrajosa y fanfarrona, como si, al analizarla, hubiera podido reconocer en ella mis propias flaquezas. Me iba así, a ciegas, negando a mi entorno, ¡cuando me tropecé con el Maestro!

–Qué, Beyala, ¿ha ido bien la cosa? ¿Has hecho un buen examen?

–¡No tengo ni idea!

–¿Has hecho bien el dictado?

Me encogí de hombros, hecha un lío, pero turbada también de verle. Traté de acordarme de mi dictado, cuyo título era: *Un niño en la vida*, pero no lo logré. Las frases desfilaban por mi cabeza, deshilvanadas. Fruncí el entrecejo, tratando de recordar al menos una entera, en su integridad, pero no lo conseguí. Iba a la deriva, perdida debido a la angustia y al amor.

El Maestro me observaba, su frente se arrugaba como una sábana. Se rascaba la cabeza a cada momento:

–¡Suele pasar que uno se olvida de todo al salir! –Entrecerró los ojos y se formaron multitud de pequeñas patas de gallo en las comisuras de sus labios–: ¡Suele pasar que uno se olvida de todo al salir!

De un patadón, hizo rodar una piedra.

–¿Y la Aritmética? –Como si me echase un cable, añadió–: No habrás olvidado las soluciones, ¿verdad?

Ante el tono desabrido de su voz, era innegable que el Maestro estaba pensando ya en todo su trabajo inútil, en los esfuerzos baldíos, en la encarnizada lucha de aquellos últimos meses, en la energía malgastada para inculcarme algunos conocimientos y sacarme de la abominable miseria. Nervioso, tenso, agitado, se sacó un papel del bolsillo.

–¿Has acertado esta respuesta? –me preguntó. Golpeó sobre la hoja–: ¿Y ésta, y ésta?

Las cifras desfilaban ante mis ojos y me dejaban hecha polvo. Me sentía incómoda, descontenta, estupefacta, como cuando acaban de anunciarnos una mala noticia. A lo lejos, en el Wouri, gruesos cascos de barco se tocaban, se besaban, se mimaban, vientre contra vientre. Innumerables mástiles con sus cordajes y vergas daban al paisaje el aspecto de Marte o de Júpiter. Unos pescadores se quedaban sin aliento sacando las redes, recogiendo el pescado. Sus músculos nudosos se marcaban bajo su piel negra y era como estar viendo un cuadro.

–¡Si no has dado una –dijo bruscamente el Maestro–, si no has dado una, no me queda más remedio que tirarme de cabeza al río!

Se alejó, con el corazón lleno de rabia.

–¡No me queda ya esperanza!

Bordeó unas buganvillas plantadas aquí y allá, cuyas flores de corazones rojos o rosas permitían creer en la felicidad.

–¡Voy a echarme al Wouri!

Desapareció, con la espalda caída a un lado, el cuerpo desmadejado y el espíritu quebrantado.

Lentamente, me dirigí al centro de la ciudad, iluminado, animado, lleno de vida. Andaba a paso corto. No estiraba del todo las piernas, no balanceaba con decisión mis brazos. Mis ideas imitaban mis pasos en su flojera: «¿He escrito bien *hipócritamente* o *sagacidad* o *derrengado*?». Reflexionaba sobre ello, pero superficialmente. Esbozaba una posibilidad, a veces comenzaba a deletrear la palabra mentalmente, para luego abandonarla. «Qué le vamos a hacer –me decía–. No soy merecedora del Maestro.»

Unas mujeres se paseaban por las calles. Algunas iban vestidas con taparrabos, otras con faldas cortas. Los fantasmas de los cortadores de sexos se estaban esfumando; habían linchado a tantos que empezaban a escasear y los comerciantes nigerianos que abastecían de *asepsos* para limpiar la piel y de *Venus de Milo* para blanquearla, habían cerrados sus tiendas en espera de que pasaran los malos vientos de la xenofobia. Ellas iban andando, se paraban a mirar una falda en una tienda o una joya, intercambiando algunos comentarios presuntuosos. Unas jóvenes vendedoras de cacahuetes, con sus vasijas sobre la cabeza, se contoneaban delante de unos culis babosos y cachondos. Ellas sacaban culo, así como sus incipientes pechos, echaban miradas provocadoras a izquierda y derecha, hechas unas hembras, duchas ya en el juego de excitar los instintos, de poner cachondo al personal. «Quiero una» o «¿Cuánto vale?», preguntaban los culis con rostro encendido. Las chicas se acercaban presurosas.

–¡Diez francos la caja!

Ellos marcaban músculos y las ayudaban a descargar.

–Tus cacahuetes no son buenos –les decían.

Las muchachas se inclinaban, ponderaban la calidad de su producto, se reían a carcajada limpia, mostrando la blancura de sus dientes como si descubrieran un nuevo mundo. Se prometían ya, para dentro de dos o cuatro años. Eran los primeros hormigueos del deseo, las primeras conquistas. Los culis se demoraban con gusto contemplando aquellas carnes que estaban madurando. Daban vueltas en torno a ellas igual que unos campesinos contemplando sus huertos: «¡Habrá unos tomates jugosos este año!», enorgulleciéndose de antemano de la excelente cosecha que habría.

Pasé por delante del Akwa Palace y me quedé estupefacta. Ese hotel reunía en sí todas las fantasías de que es capaz la imaginación humana: unas colgaduras de seda cubiertas de lentejuelas de oro adornaban las ventanas; unos sillones tapizados con telas de Siberia estaban colocados aquí y allá a modo de estampas japonesas; unas lámparas de cristal de Bohemia difundían una luz tenue que invitaba a la ensoñación.

–¡Qué bonito! –suspiré.

Unos blancos en pantalones cortos y mangas de camisa se estaban tomando helados piramidales, pasteles cubiertos de azúcar fundido. Hablaban por los codos, se reconocían unos a otros, se abrazaban: «¿Pita la cosa?» o «¿Carbura?». Brindaban haciendo chinchín, tomaban bebidas cuya esencia embriagadora cubría de rojo sus mejillas tostadas por el sol. Unas negras busconas, engalanadas con flecos, oliendo a sexo a la legua, a *Jolis Soirs* y a *Power Poudre,* los reyes de los perfumes, pasaban por entre las sillas y tranquilizaban a la clientela.

–¡Haz conmigo el amor sin cansarte!

Maravillada por todo ese lujo, entré en aquel santuario de los placeres. Avanzaba como un autómata o como una loca, imaginándome ya repantingada en esos sillones de brazos mullidos, bebiendo en esos vasos tan finos que daba la impresión de que fueran a desintegrarse a las primeras de cambio. Un negrazo, con unos bíceps como tres toneles, apareció delante de mí.

–¿Qué es lo que quieres? –me preguntó.

–Me espera mi padre –dije yo, con cara impasible de verdadera mentirosa.

Él se apartó, con una sonrisa.

–Adelante, señorita.

Me quedé tan sorprendida de oír que me llamaba «señorita» que respondí:

–¡Perdón, señor! ¡Sí, señor!

Con el corazón que se me salía del pecho, entré en aquel lugar donde parecía haberse dado cita todo el lujo del mundo. Miraba a mi alrededor, con aire aburrido, buscando algo o a alguien, volviéndome de vez en cuando para cerciorarme de que el negro de los bíceps de acero no me estaba vigilando. Anduve así, entre uñas pintadas, pelucas empolvadas, Johny's y Sylvie's, humo de cigarrillos, risas nítidas como la misma aurora, y no sé cuántas cosas más, hasta el fondo de la sala. Mi presencia no parecía molestar a nadie; vi un sitio libre y tomé asiento.

Era la primera vez que estaba en un lugar refrigerado y era maravilloso. Por todas partes me llegaba un viento frío, se infiltraba por entre mis piernas, subía hasta mis axilas y se perdía dentro de mi cerebro. Me sentía como nueva, con la mente despejada, con mi pequeño gran corazón cautivado por todas aquellas riquezas. La antigua Tapoussière desaparecía, ¡hala!

Me sentía tan distinta que me creí capaz de sacarme no sólo el certificado, sino también el diploma.

Estaba disfrutando gratuitamente de este bienestar cuando el negro de los bíceps se me acercó y me atrapó por el brazo.

–¡Esto no es ningún chiringuito!

Se me llevó y la gente de nuestro alrededor se reía.

–¡No es éste un lugar para desharrapados!

Sus dientes amarillos parecían sierras que me diseccionaran.

–¡Perdón, señor! –dije yo.

Me arrojó fuera y el calor me sofocó.

–¡Perdón, señor! –repetí.

Me miró con altivez.

–¡Que no te vuelva a ver más por aquí!

Sentí tanta vergüenza que repetí:

–¡Perdón, señor!

Ese tic de lenguaje me iba a volver de nuevo: «¡Perdón, señor! ¡Sí, señor!» cuando, veinte años más tarde, las personas sentadas a la mesa con el Señor Don Nadie Sabelotodo de turno en la casa de Verlaine me hicieron el blanco de sus iras mientras saboreaban sus ensaladas de cabra: «¡Cerda! ¡Plagiaria!», «¡Perdón, señor! ¡Sí, señor! ¡Perdón, señor! ¡Sí, señor!», cuando consideraron que era más corta que una minifalda... «¡Perdón, señor! ¡Sí, señor!». Para partirse de risa, vamos.

Volviendo así a casa, con el estómago vacío desde primera hora de la mañana, pensando que había suspendido el examen, creí que el destino no me quería, me abrumaba, me hacía soportar una carga propia para seis espaldas. Las lágrimas brotaban de mis ojos y me nublaron la vista. Caminaba sin preocuparme de los cláxones de los taxis que taladraban la noche con sus ojos amarillos y sin prestar atención a los transeúntes que pasaban. La gente me empujaba; no les importaba nada mi tristeza. Fui a parar así a la playa y me senté sobre una gran piedra.

Soplaba un escaso viento y las hojas de las palmeras ondeaban. De vez en cuando, traía olores a árboles podridos amontonados a lo largo de los muelles. Envidiaba a aquellos árboles que esperaban algo, en el norte, en donde recalarían: unas máquinas modernas los dejarían perfectamente cepillados; unos ebanistas formados en las mejores escuelas los ensamblarían. Yo hubiera querido partir como ellos para Francia, incluso en la bodega de un carguero, descubrir ese universo de limpieza, donde el paludismo se curaba en un visto y no visto, donde los niños crecían en unas casas refrigeradas, donde los hombres y las mujeres le daban a uno generosamente de comer. Yo ignoraba entonces que encontraría allí a seres humanos dignos de tal nombre, pero igualmente a otros, de otro tipo, de esos que os someten bajo la férula de sus profesiones decorativas e ignoran todavía que, detrás de la palabra o la frase mil veces repetida, existe siempre un sentido desconocido y que el talento no siempre consiste en decir lo que no ha sido dicho jamás. Pero eso es otra historia...

Amontoné arena e hice unos minúsculos montículos que luego destruí. Unos barcos arrojaban en el río sus miradas de leopardo. Llegaban hasta mí los ruidos de la ciudad, restallantes de luces, rezumantes de fiebres y de alegrías forzadas. Cuando la luna desgarró las nubes con su flota infinita de estrellas que iluminaba gratuitamente el universo, me sentí ligera, casi feliz. «La vida es bella –me dije levantándome y sonriendo–. ¡Dios es grande!»

Y grande era el Señor, tanto que en el barrio vi al Maestro sentado en un pequeño chiringuito charlando, riendo con sus compadres, estableciendo esa camaradería de echar un trago y de hablar de faldas; tanto, que en casa la Abuela me recibió con la angustia propia de una enamorada.

–¿Eres tú, Beyala B'Assanga Djuli?

Me arrojé en sus brazos.

–No te preocupes, Abuela. –Acaricié su cabeza–: ¡Te quiero!

Los días siguientes, la angustia retornó y me dominó tanto que no los vi siquiera pasar. Desde el amanecer, sacaba agua, limpiaba el patio, daba de comer a las aves del corral. A continuación, vagaba por delante de los bares, de los chiringuitos, del mercado. Aquí y allá andaba a la caza de chismes con que distraer mi mente. Me enteré de que María Magdalena se casaba con el falsificador de moneda y, en otras circunstancias, habría saltado de alegría de que mis esperanzas de casarme con el Maestro tuvieran algunas posibilidades más de hacerse realidad. Me la encontré delante de su choza cosiendo su ajuar.

–¿Eres feliz? –le pregunté.

Unas lágrimas perlaron sus ojos.

–Es necesario soñar, Tapoussière –me dijo–. ¡Pero una también tiene que vivir su vida!

Sentí ganas de llorar a mi vez, pero opté por alejarme de allí, entre las ruinas donde las hambrientas ratas devoraban hasta las cortinas de las ventanas, donde los hombres sentados bajo las verandas se ponían ciegos de vino de palma, donde nuestros demócratas hablaban de las próximas elecciones jurando por la cabeza de su madre que el Presidente vitalicio tenía poderes sobrenaturales que le permitían desplazarse vestido por debajo del agua y recorrer así mil kilómetros. Yo les escuchaba sin prestarles atención y me encogía de hombros.

Al caer la tarde, me sentaba bajo la farola, mientras que nuestro *modista-sastre de la casa Dior e Yves-Sin-Laurent* traqueteaba con el pedal de su Singer.

–Es imposible que haya nadie más esclavizado que nosotros –me decía él.

Yo asentía, por cansancio o tal vez para permanecer sola conmigo misma. A veces, nuestros intelectuales se reunían con nosotros, envarados en sus trajes a rayas amarillas o verdes y calzados con sus Salamander de talones compensados.

–Entonces, Tapousssière, ¿crees que conseguirás el certificado? –preguntaba el señor Diderot.

Silencio y un pie rascando el otro.

–¡Todo eso son tejemanejes y compadreos! –decía el señor Miterrand–. ¿Cómo quieres que apruebe?

Sus cabellos relucientes de brillantina chorreaban de sudor y estaban totalmente pegajosos. Charlaban largos minutos, mientras hacían cábalas, imputaban, deducían: si ellos, hombres brillantes, inteligentes, se habían roto los cuernos contra la dura ley de la selección por el dinero, ¡no iba a ser Tapoussière quien venciera semejante obstáculo! Estallaban a reír y su orgullo de machos deslumbraba a la misma farola, y sus duras palabras me relegaban irremisiblemente a la cocina. Les escuchaba como si hablasen de otra.

Yo era como una ostra con la concha cerrada que la Abuela se obstinaba en querer abrir con un cuchillo. Levantaba la tapa de su viejo baúl, comprobaba el número de sábanas, de taparrabos y vestidos.

–Un día heredarás todo esto –me decía.

Yo miraba las ropas rojas o azules, wax de Holanda o índigos del Senegal, todas esas florituras que conferían a las mujeres el aspecto de una rosa carnívora.

–Por ahora no te vas a morir, Abuela –soltaba yo.

La Abuela suspiraba y, de otro intento con el cuchillo, trataba de retrotraerme a antiguos sentimientos:

–Cuentan que...

–¿Qué?

Mi mente se concentraba, dándole vueltas como una pelota de lana, en una única pregunta: «¿Aprobaré el examen?», y mis ojos evitaban cruzarse con los de la Abuela: «Si fracaso, ¿qué va a pasar?». Me guardaba las angustias para mí.

Aparecieron las primeras estrellas en el firmamento, temblonas en el crepúsculo. A lo lejos, en el Wouri, unos barcos partían hacia países de atractivas flores, países de osos de Edén, de reinas blancas, de nieves eternas, nuestros cuentos de hadas. En medio de la noche que se anunciaba se oía alborotar a las chicas de Madame Kimoto y sus ojos de destellos y eclipses parpadeaban ya, indicando por medio de los movimientos humanos de los párpados.

–Soy yo. ¡Soy el deseo, la sensualidad, la felicidad!

Yo estaba de cuclillas bajo la veranda de la Abuela. Estábamos contando nuestras ristras. El señor Conductor maltrataba a la señorita Etoundi sin cólera, casi sin odio, con sus «¡Date prisa!» y «Ya viene la sopa ¿o qué?». Con unos «¡Deprisa!». ensordecedores. «¡Deprisa!», simplemente porque señalaba su territorio. Otro «¡Deprisa!» porque era él quien mandaba allí. La señorita Etoundi, que se había encenegado en el concubinato como otros en un terreno pantanoso, corría, lavaba, llevaba y traía.

De repente, se oyeron unos pasos apresurados. Un grupo de chavales de hinchados vientres y ojos como monos acechantes, atravesó el puente en medio de un gran griterío.

–¡Han hablado de ti en la radio! –me gritaron, sin explicaciones inútiles.

Sus pantalones rojos se les caían piernas abajo.

–¡Han hablado de ti en la radio!

Y sin que yo hubiera preguntado nada, unas mujeres del barrio lanzaban ya unos «¡viva!» y daban palmas.

–¡Tapoussière ya tiene su certificado! ¡Acaban de anunciarlo por la radio!

Unas ancianas, desdentadas, las seguían, agotando las pocas fuerzas que les quedaban para felicitarme.

–¡Kassalafam acaba de dar un genio al mundo!

Los hombres llegaban también. Me tocaban.

–¡Vaya con la niña!

Me acariciaban.

–¡Bravo, Tapoussière!

Me levantaban del suelo.

–¡Chapó, Tapoussiére!

El señor Mitterrand, que no conseguía recuperarse de la sorpresa por mi éxito, se enjugaba la frente.

–Deben de haber cometido un error de cálculo.

O también:

–¡Se ha beneficiado de la última plaza no vendida de antemano!

El Maestro no podía estarse quieto y no paraba de repetir:

–¿Cómo se siente uno cuando cambia de condición?

Yo me arrojé en sus brazos.

–¡Gracias, Maestro!

Él me besó las mejillas.

–¡No hay de qué, eres como una hija para mí!

Él acababa de enterrar mis esperanzas, mis amores. Acarició mis cabellos.

–¡Eres como una hija para mí!

No me cabía ya esperar nada. Luego, de nuevo, dijo:

–¿Cómo se siente uno cuando cambia de condición?

Experimenté ese sentimiento que nos posee cuando se ha deseado mucho alguna cosa y se consigue: un extraño vacío. Sin embargo, sonreía:

–¡Gracias, amigos míos!

Y compartía los laureles.

–¿Qué hubiera hecho yo, Jean, si tú no me hubieras ayudado?

El señor Diderot me levantó y me puso a horcajadas sobre sus hombros.

–¡Este acontecimiento bien merece unos instantes de recogimiento en silencio!

Luego se puso a trotar como un caballo. Mis compatriotas corrían detrás de él y cantaban mi victoria. Incluso en el establecimiento de Madame Kimoto, las chicas dejaron en suspenso sus tribulaciones por un momento.

–¡Formidable, Tapoussière! –me dijeron, emocionadas–. ¡Formidable!

Lanzaron a sus clientes unas miradas asesinas.

–¡Magnífico, Tapoussière!

Una brillante idea cruzó por la mente del señor Diderot. Me bajó, se puso a tres pasos de mí y luego, con un ademán sumamente teatral, me señaló diciendo:

–¡De ahora en adelante te llamaremos la Niña de la Farola!

Todos me miraron como se mira a algo poético.

Pasé a llamarme a partir de aquel momento la Niña de la Farola y adopté el ropaje de ese personaje que mis compatriotas me habían otorgado. Había cambiado; al menos, la percepción que tenían de la Niña de la Farola difería fundamentalmente de la de Tapoussière. Yo me esforzaba por ser un poco más limpia. No me metía ya los dedos en la nariz. Lavaba mi ropa.

–¡Vas a gastar todo el jabón! –gritaba la Abuela–. ¡Un palo arrojado al agua nunca se convierte en un pez, hija mía!

Apenas parecía impresionada por mi ascensión social.

–El único examen que debes pasar es el mío –me soltaba a modo de felicitación, mientras que mis compatriotas me confiaban la redacción de su correo.

Queridísimo Jean-François:

Desde que el gran avión Combi *del Camerún Airlines te ha elevado de tierra para llevarte lejos de mis ojos, no puedo dormir ya por las noches...*

O bien:

Señor Presidente de la subsección de New Bell n.º 5:

Me dirigo a usted para solicitar de su gran generosidad que me permita limpiar sin ningún interés particular por mi parte sus trajes y zapatos y hacerlos brillar más que el sol.

O también:

Mi muy querida y desobediente esposa con todo mi corazón:

Estoy triste desde que decidiste dejarme definitivamente debido a esa mujer que metí en mi cama sólo por una noche, a causa del frío.

Te ruego que creas a tu querido esposo enamorado si te digo que me hechizó tan bien que he llegado a olvidarme de cómo ponerme los zapatos del derecho... Por la gloria de Dios, espero que me comprendas y perdones.

Y finalmente esas cartas privadas dirigidas al Maestro y que él nunca leyó:

Queridísimo amor:

Eres la delicia de mis sueños, la inflamación de mis sentidos, el fuego de mi vida.

¡El Maestro nunca supo cuánto le había amado y olvidado! No obstante, estos escritos despertaban respeto y desde entonces se pasó a hablar de la Niña de la Farola con deferencia. Mis gustos no habían cambiado; seguían apestándome los pies; mis ojos veían las mismas cosas; mis oídos captaban las mismas estupideces; no había tenido siquiera la cortesía de crecer y, sin embargo, mis compatriotas me atribuían una mayor relevancia.

Hacía tanto calor aquel día que a uno le daban ganas de romper sus últimas ataduras con la humanidad. El atontamiento propio del calor hacía que la gente se saludara pronunciando nombres al buen tuntún.

–¡Buenos días, Mégrita!

Se volvían, sorprendidos, como dudando de su propia identidad.

–¡Pero si soy Antonia!

Unos ancianos dormitaban ya bajo las verandas. Un olor a humanidad pobre y nauseabunda invadía el mercado. Unas *bayam-sellams*, mortalmente aburridas en medio del pestazo de las carnes, dormían delante de su mercancía.

Yo andaba arrastrando mi bolsa de la compra, extenuada por ese sol, por ese viento indelicado que ni siquiera se tomaba la molestia de soplar, cuando, de repente, una sombra gigantesca surgió delante de mí haciendo pantalla.

–¡Pero si eso pesa mucho para ti, pobre querida mía! Dame, dame tu bolsa.

Era el señor Onana Victoria de Logbaba. Recogió mi bolsa y echó a andar, ahogándose dentro de su chilaba de color naranja. Sus vueltas de collares de dientes de hipopótamo se dejaban oír en su cuello y lo anunciaban como antaño el tintineo de las campanillas de los leprosos.

Desembarazada de mi pesada carga, yo me sentía liviana. Mis piernas galopaban, ligeras, bajo una faldita plisada. Mi espíritu se excitaba y reflexionaba al mismo tiempo. «¡Por fin el destino se muestra clemente conmigo!», me dije. Unos niños jugaban en medio del polvo del camino. Con expresión seria, arrojaban sus canicas, gritaban, reían o se peleaban.

De repente, el señor Onana Victoria de Logbaba me llamó.

–¡Beyala B'Assanga!

La sorpresa de oírme llamar así por un extraño hizo que mi espíritu diera un vuelco. Aunque tenía los pies firmemente plantados en el suelo tuve la impresión de que se despegaban de él. El señor Onana Victoria de Logbaba depositó mi bolsa de provisiones entre sus piernas y se sacó un pañuelo de un bolsillo.

–Tengo una cosa importante que decirte... –comenzó.

Se secó enérgicamente los ojos, la boca, las axilas.

–¡Condenado calor! –dijo.

Luego, de un gesto, desarrugó su pañuelo. Sus manos temblaban y el pañuelo se balanceaba a derecha e izquierda, como si se desembarazara de un polvo invisible.

–Yo conocí mucho a tu madre...

–Todo el mundo conocía a Andela –dije yo.

El señor Onana Victoria de Logbaba sacudió su enorme cabezón.

–Quiero decir íntimamente... ¡Como un hombre y una mujer!

Se quedó con la mirada clavada en el suelo, abrumado por una depresión que se transformó en una horrible tristeza.

–¡Soy tu padre!

–¿Tú?

Me lo quedé mirando, estupefacta. ¿Desde cuándo conocía yo al señor Onana Victoria de Logbaba? Desde la misma cuna. Hasta ese momento me había cerrado sus brazos y su corazón. ¿No se supone acaso que hubiera debido amarme de forma natural? Una escena atroz me vino a la mente. Este hombre me había rechazado: «¡Esta niña está loca!». La víspera de Año Nuevo, al sugerirle yo que podía ser mi padre, me había espetado: «¡Quiere joder mi matrimonio!». ¿Era eso un padre, un cobarde? No podía saberlo, pues no había tenido nunca ninguno. Por otra parte, no sentía ya la suficiente cólera como para que el asunto me interesara.

Eché a andar a grandes zancadas, agitada por las emociones. El señor Onana Victoria de Logbaba me seguía y se justificaba: había conocido a Andela en un período especial de su vida, en el que un joven hombre experimenta y disfruta de las riquezas del mundo de la misma manera que un creador persigue su originalidad. En aquella época había otras mujeres, relaciones que duraban dos o tres semanas y que se deshacían y desaparecían como las palabras una vez pronunciadas.

–Fui un joven apuesto, ¿sabes? –no dejaba de repetir.

Guiñaba el ojo, al tiempo que movía sus labios carnosos.

–¡Muy apuesto, sí!

Se mostró exultante, picarón, sensual, violento. Se debatía para transportarme a su alma o a su cuerpo, a fin de que yo sintiera los imperiosos deseos que justificaban su comportamiento. Era algo incierto, sórdido o demasiado complicado. Me resultaba difícil comprender su actitud e incluso encontrar entre nosotros unos lazos de sangre, un parentesco, un parecido. De pronto, me tomó en sus brazos, me apretó contra su enorme pecho, haciéndome respirar todas las miserias que se habían aglutinado en sus poros en olorosos racimos.

–Me perdonas, ¿no es cierto?

–Por supuesto –dije.

–Ah, tú no puedes saber, hija mía... Cuando te veía pasar y pensaba: «¡Ésa es mi hija, la carne de mi carne, la sangre de mi sangre!». Y no podía estrecharte entre mis brazos... ¡He sufrido, ay sí, cuánto he sufrido!

–¡Eso no es cierto!

–¡Sí, sí que es cierto! Prometo ganarme tu perdón... Te querré hasta el punto de hacerte olvidar el tiempo perdido.

Me miraba y observaba el mundo a través de sus pestañas como si estuviera dispuesto a desintegrar los obstáculos que se alzaran en medio de nuestro camino y reducirlos a un océano de arena.

–Todo fue culpa de Andela. (*Un gran silencio.*) Ella habría podido esperar a que yo sentara la cabeza. (*Un profundo silencio y la voz subiendo en crescendo.*) Yo la amaba tiernamente como a una rosa del desierto. ¿Comprendes? (*¡Fin!*)

Era ya hora de separarnos, un poco más y yo habría estallado en sollozos.

La Abuela estaba sentada bajo la veranda. Pinchaba la arena con la punta del bastón. La atormentaba, la removía maquinalmente, como cansada de vivir la dulce repetición de los esquemas: ese sol que se alzaba y se ponía; esa noche que llegaba con sus reptaciones y graznidos; esos regueros viscosos de varec; esos gusanos blancos en medio de la podredumbre; esos perros, esos hombres, ¿para qué seguir? Unas gotitas de sudor brillaban en su cráneo y mi corazón se henchía de ganas de explicárselo, hasta el punto de que creí que me iba a estallar.

–El señor Onana Victoria de Logbaba es mi padre –dije como algo evidente.

Fue tal la sorpresa que ello causó a los oídos de la Abuela que una risotada brotó de su garganta.

–¿No tienes nada más interesante que contarme?

Se levantó, sarcástica, y obligó a su columna vertebral a enderezarse.

–¡Ah, los hombres!

Y el sol retozaba sobre su cráneo.

–¡Qué no son capaces de inventar!

Se alejó, poco a poco, parloteando sola.

–¡Qué no son capaces de inventar!

Nada nuevo bajo el sol, si se considera que tuve también otros padres, todos desolados y melancólicos, afectados por los remordimientos propios de quienes no han asumido sus responsabilidades y han cometido alguna falta. Jean-Paul, Etéme-Étienne-Marcel, Gilbert de Kombibi y otros muchos también cuyos nombres el tiempo ha borrado de mi memoria. Gritaban:

–¡Conocí muy bien a Andela, soy tu padre!

Se movían a derecha e izquierda, suspiraban y yo veía la punta de sus gruesas lenguas rojas.

–¡No he querido nunca a ninguna otra mujer más que a tu madre!

Un día, Ananga Bilié, el zapatero, apenas se puso a recordar sus relaciones con Andela, se cogió de los testículos y se los apretó con tal fuerza que creí que se los iba a romper. ¡Pero qué va! Se retorció y frotó sus muslos uno contra otro mientras hacía espantosas muecas.

–Tengo un dolor de muelas terrible –dijo.

Luego volvió a ser tan plácido como una hoja muerta.

Incluso el señor Gazolo, ex combatiente profesional, se presentó con su pistola de triple disparador y me dijo que era mi padre. Llevaba su uniforme pantera de combate. En sus caderas se balanceaban dos viejas porras colgadas de dos cuerdas que llevaba en bandolera. Un casco colonial verde disimulaba su cabello crespo y calzaba unas gruesas botas que le llegaban hasta la mitad de los muslos.

–¡Ah, hace tanto tiempo que esperaba este momento! –dijo estrechándome muy fuerte. Luego puso su ojo en el visor y disparó, *¡pam, pam!*–: ¡Hubiera tenido que matarla, así yo no habría sufrido tanto!

El antiguo combatiente casi lloraba por ello. Tenía los ojos enrojecidos por la tristeza; unos tics nerviosos se habían adueñado de su rostro y le daban un aire simiesco. Depositó su arma a mis pies.

–Es el mejor regalo que puedo hacerte.

Era algo extraordinario, pues no fue el único en hacerme regalos: tuve derecho a unos vestidos comprados en algún ropavejero, a unos zapatos que me apretaban hasta hacerme ver las estrellas, a unos bombones que me pudrían la boca y a unas verdaderas muñecas de plástico, pero yo ya no soñaba.

Escuché a mis padres, ovacioné indiferentemente sus declaraciones, dejé volar mi imaginación en el río-tiempo donde los largos periplos de los destinos célebres se mezclaban con viejos deseos infantiles, siempre los mismos, esos juegos mil veces repetidos, siempre más próximos a los ensueños, tan lejos de la realidad.

La Abuela seguía sus actuaciones, llena de desprecio.

–¡Ah, la miseria! –vociferaba.

Porque la Abuela comprendía que el reconocimiento de su paternidad y todas sus amabilidades no eran más que una forma de tratar de garantizarse el porvenir: «Esta joven célebre es mi hija. ¡Yo la he ayudado! Gracias a mí se ha sacado su diploma». Me hipotecaban como unos banqueros una casa. Más tarde dirían: «Niña de la Farola, ¿te acuerdas de mí? ¿Y de los zapatos que te regalé? ¿Y de esto y de lo otro?».

Tenderían sus manos con una sonrisa para que yo les soltara algunos billetes.

Y todo marchaba a pedir de boca hasta el día en que el sol se levantó y precipitó los acontecimientos.

Nada más fácil que llegar a un lugar desconocido, echar un vistazo a las casas, a los muebles, incluso a los seres humanos con desdén y exclamar: «¡No saben construir!». O bien: «¡Nosotros bordamos mejor!», entrar como la primavera en una habitación y soltar: «¡Soy célebre, necesito espacio y unos grandes ventanales!».

El sol enrojecía por el este, yo me dirigía hacia el sur, al pozo. Iba balanceando mi cubo y cantaba a voz en grito:

–*En el claro de luna, mi amigo Pierrot.*

Me interrumpía de vez en cuando para responder a los distinguidos «¡Buenos días, Niña de la Farola!», que mis compatriotas me lanzaban y luego reanudaba el ritmo de mi música, cuando de repente oí:

–¡Andela está de vueltaaaaa!

¡Fue una locura! La gente salía de sus casas como géiseres.

–¡Andela está de vueltaaaaa!

Corrían, enardecidos de la cabeza a los pies por la increíble noticia.

–¡Andela está de vueltaaaaa!

Unas mujeres saltaban precipitadamente de la cama, se ponían un taparrabos a toda prisa y salían corriendo. Unos ancianos andaban con paso renqueante tan deprisa como se lo permitían sus viejos huesos. Incluso unos bebés abandonados en los umbrales de las puertas seguían a sus madres entre lágrimas.

Me quedé tan desorientada como una expatriada al desembarcar en tierra de exilio. Luego caí en la cuenta de que Andela me había llevado en sus entrañas durante doscientos setenta días, veintiuna horas, cuarenta y cinco minutos y tres segundos, así que también yo me lancé a la carrera.

Nuestro patio estaba a rebosar de gente. Había empujones por todas partes. Sus rostros expresaban cansancio por el esfuerzo que representaba tratar de acercarse a la *Gran Dama*, tocarla, hablarle. Entre el baile de rostros de color negro caca que se encontraban en primera fila, aparecían aquí y allá algunos rostros de niños.

–¡Qué guapa es! –gemían.

Se volvían.

–¡Cómo le favorece la ropa que lleva!

Unos hombres la miraban, babeando de admiración erótico-mística.

Por una vez, los chismes de Kassalafam estaban tres peldaños por debajo de la realidad. Andela era hermosa: sus ropas color índigo eran luminosas como un decorado teatral; sus enormes joyas de caucho colorido invitaban a aplaudir como si estuviera uno delante de una apoteosis; los perfumes que despedían sus axilas a grandes tufaradas lo dejaban a uno sin olfato. Dos mocosos vestidos de adulto se escondían entre sus piernas, pero no era grave. Esa mujer era un compendio de todas las promesas del cuerpo y de los sueños. La Abuela miraba a su hija como a algo asombroso.

–¿De veras eres tú? –preguntaba, exhibiendo una magnífica sonrisa. Besaba sus manos, sus dedos. Sus ojos tenían una expresión llorosa.

–¿De veras eres tú?

Y la leyenda de Andela se imponía sin pedir nuestro consentimiento.

También yo admiraba sus largas piernas, su cabello alisado y su maquillaje, que se fundía en sus carnes como una segunda piel. *Mi madre, mi madre, mi madre.* Esta espléndida criatura era mi madre. Yo contemplaba aquel rostro que no se había inclinado sobre mi cuna, su grácil cuello, sus manos de largos dedos, y en la solidez de mi espíritu apareció una fisura: comprendí que la había echado de menos, que la amaba. Mi corazón se abrió como una corola de flor a ese nuevo amor. Me hubiera gustado gritarle: «Te quiero». Pero no me atrevía a moverme de sitio pues me sentía como un flan.

Unas mujeres la contemplaban con admiración.

–¡Tu bolso es magnífico! –dijeron con un chupeteo de labios.

Andela las mandó a freír espárragos.

–¡Es cocodrilo auténtico con garantía de diez años!

Giró sobre sí misma con la dignidad de una duquesa: sus dedos lucharon por ajustar su bolso; se puso en jarras; sus cejas se alzaron justo lo preciso para dejarnos pasmados; su voz emitió un extraño sonido y se expresó en estos términos:

–En Bangui, capital de África, ésta es la moda.

A las mujeres se les caía la baba, de tan perfectas como eran estas maneras de estrella de cine. Andela había conocido otros países y frecuentado otras civilizaciones: era una referencia de saber e inteligencia.

Mis compatriotas se marcharon, con una gran nebulosa en la mente, con los sueños confusos. Heredaban versiones embellecidas y edulcoradas del regreso triunfal más sonado que hubiera conocido la Tierra. Cuando nos quedamos solas, con el sol como único testigo, Andela parpadeó.

–¿Es ella? –le preguntó a la Abuela.

Ella asintió. Contuve la respiración y un sentimiento de felicidad vibró en mí, cálido y alentador. Nunca había experimentado esa emoción que me hacía sentir que subía al séptimo cielo en un globo de color rosa azulado.

–Ve a lavar a tu hermano y a tu hermana –dijo Andela sin mirarme.

Mis facciones se descompusieron. Torcí el gesto hasta la agonía y volví de nuevo a pisar tierra. Andela no podía quererme, pues no me conocía.

–Ah –añadió cuando me alejaba con sus dos hijos–, no se lavan más que con agua caliente.

Me dolió, pero una débil esperanza palpitó en mi corazón.

Una vez hube lavado a sus hijos y reconocido: «Nadie diría que son mis hermanos, pues no nos parecemos en nada», me tragué el horror que tenía en la punta de la lengua. E incluso más tarde, cuando comprendí que Andela no me perdonaría jamás el que hubiera venido al mundo, cuando sentí que me arracaban las venas o que mis cabellos en llamas se consumían hasta la misma raíz, amenazando con devorar hasta mis mejores recuerdos, continué enumerando las maravillas del mundo que iba a compartir con mi madre, convencida de que, en algún momento de nuestro futuro, habría momentos para reír en unas mañanas sin rencor.

Necesité apenas ocho días para conocer la vida repleta de honores «de ser la esposa de» que Andela llevaba en África Central. Conocí por foto a sus dos hijos mayores, Thierry y Christian, que se habían quedado con su padre. Comprendí igualmente que tenía una nube de criados que se desvivían a su alrededor, pordioseros solícitos por quienes profesaba ese cariño desinteresado de las madres.

–¡Lava la ropa de tu hermano y de tu hermana! –me soltaba.

O también:

–¡Prepárales el desayuno!

Y yo limpiaba, sacaba agua del pozo, cocinaba, contenta como una chica para todo, y saltaba a la vista que me quería como criada. Que yo hubiera sacado el diploma la dejaba fría como el hielo.

La Abuela no se metía en nuestras relaciones, pero al cabo de quince días ya conocía el nombre de todos los presidentes que habían recibido a Andela, de los ministros que frecuentaba y el número de joyas con diamantes regaladas por su marido el General. Sentada sobre una estera, a la sombra de un mango, la Abuela y su hija intercambiaban miradas confiadas de cariño. A un gesto, yo traía cacahuetes; a otro, eran mangos maduros y jugosos lo que ofrecía. Andela se los comía con sus bonitos dientes blancos, los daba a probar a Edith y a Jules, y de mí se olvidaba.

–Ella es ya lo bastante mayor para apañárselas.

Yo era pequeña, era la vida la que me había hecho mayor. Mis numerosos padres me hacían regalos a escondidas. No reivindicaban ya públicamente su paternidad porque la grandeza de Andela exigía que uno se acercase a ella de rodillas. A la caída de la noche, momento en que la vida hervía, excitada por el miedo al sueño, se reunían conmigo bajo la farola, uno tras otro, unidos por una misma queja. Sus frustraciones les volvían parlanchines y descorteses. Numerosos tics aquejaban sus rostros y gesticulaban como un montón de gusanos blancos. Comían pistachos, cuya cáscara rompían con los dientes y luego escupían en el polvo.

–Desde que *Ella* está aquí ya no podemos charlar contigo.

–Sigo siendo la misma, como sabéis.

–Seguro que *Ella* te ha traído bonitas cosas que nos ocultas.

–Soy la misma de siempre.

–Seguro que en cuanto a educación y todo eso, *Ella* no debe de tener mucha idea. El otro día, pasaste por delante de mi puerta sin decirme siquiera buenos días, lo cual no es propio de ti...

–Tenía prisa.

Cuando acababan de dar vueltas a mi alrededor como moscas ante un panal de rica miel, la atmósfera se volvía tan densa como el agua hirviendo. Hablaban de las mujeres que habían conocido, todas ellas guapas, que les pagaban para que se acostaran con ellos.

–¡Nada, pero que nada engreídas por cuatro perras!

Mientras que *Ella*... ¿Quién se había creído que era, al fin y al cabo? Tenían dificultades en respirar. Sus deseos pesaban en sus pechos, y les obligaban a expulsar el aire a pequeños y secos resoplidos.

Yo asentía a sus embustes para que se sintieran menos idiotas. Contemplaba cómo bailaban las franjas de luz en la oscuridad. A lo lejos, en el bar de Madame Kimoto, los neones se encendían y apagaban al ritmo del chachachá. Unos ladrones se mezclaban con los honrados ciudadanos para aliviar sus carteras y no faltaban vendedoras que vociferaban:

–¡Los cigarrillos Delta revitalizan vuestros pulmones!

–¡Dos ristras, diez francos!

–¿Cuando regresará *Ella* a casa de su marido? –preguntaban.

Yo me encogía de hombros.

–¡Con *Ella*, vete a saber!

Yo tenía derecho a un dinerillo.

Se iban, lanzando maldiciones contra Andela, para jurar por todos los dioses que *Ella* iba detrás de los hombres; que ellos no tenían tiempo que perder con una tirada de aquella ralea que se daba humos de *señora*, cuando hasta un ciego habría visto de qué pasta estaba hecha. Así aprendí que el despecho por amor provocaba estragos tan desastrosos como un incendio en la sabana.

Yo me las arreglaba como una persona mayor porque no era partidaria de la fatalidad. Escondida entre las plantas medicinales que había en la trasera de nuestra choza, devoraba, apresuradamente, buñuelos de alubia que compraba a la vera de los caminos. El aceite rojo embadurnaba mi boca y chorreaba por mis dedos. Una vez terminada mi comida, enterraba subrepticiamente los papeles aceitosos entre la maleza y regresaba a casa.

A menudo encontraba a Andela sentada a la mesa con sus pequeños, porque saltaba a la vista que desayunar sin mí hacía que la comida supiera mejor. Tomaban pasteles rellenos, pan con mantequilla, bizcochos con aromas de China y también chocolate con leche. Discutían muchísimo por tonterías.

–¡Mamá, me gustaría ir al cine!

O también:

–¿Cuándo me comprarás el coche eléctrico, mamá?

Andela prometía:

–¡Pronto, querido! ¡Pronto!

Se llevaba la taza a los labios y la bebida gorgoteaba en su garganta.

Al acabar, Andela apartaba los platos y, con una mueca de displicencia, me decía:

–¡Toma, come!

Miraba las migas de pan o de pastel que nadaban en el líquido negruzco y un odio repentino me invadía.

–No tengo hambre.

Yo apilaba los platos y nuestras miradas se cruzaban como dos espadas.

–No, de verdad, no tengo hambre –insistía.

Mientras fregaba los platos, se me pasaban por la cabeza algunas preguntas: «¿Era ésa mi madre?». Yo había conocido madres que eran seres dulces y consoladores que hubieran elegido morir por sus criaturas. No era el caso de Andela, al menos en lo que a mí se refería. Tenía preferencia por sus otros hijos y esa actitud pesó mucho en mi desafecto.

Entretanto, engordaba, crecía, y ello era tanto más sorprendente cuanto que en casa comía poco. Unos plieguecillos de bebé aparecían aquí y allá en mi cuello; mis brazos perdían su forma torneada; mis mejillas se volvían tan redondas como la luna llena. Dondequiera que estuviese, sentada a la sombra de un mango o acuclillada jugando al songo, Andela me perseguía.

–¿En qué andas perdiendo el tiempo en vez de hacer algo de provecho con tus manos?

Yo me ponía en pie de un brinco y siempre encontraba algo que hacer, como lavar a sus hijos, hacer recados, planchar su ropa. Andela se agitaba y se asombraba.

–Mira sus nalgas –le decía a la Abuela–. ¡Pero mira, no hace más que engordar, va a reventar!

La Abuela se colgaba la cachimba entre los labios.

–¡La presencia de una madre es la mejor vitamina para una niña!

La presencia de una madre...

Hasta el día en que...

Andela me sorprendió entre las hierbas y cayó en la cuenta de todo.

–Quién te ha dado eso, ¿eh?

Pisoteó las plantas, sin la menor consideración hacia los pájaros, que salieron volando.

–¿Dónde has robado el dinero para comprar esto?

Estallaron las broncas y surgieron las sospechas.

–¿No habrás sido tú quien me ha cogido los cien francos que había en mi bolso?

Mis puños casi se alzaron maquinalmente, de tanto como temblaba de pies a cabeza.

–¡Eso no es cierto! –Las venas de mi cuello se hincharon–: ¡Son mis padres quienes me lo han regalado!

Unos nombres se agolparon en mi cerebro, con la violencia de la poesía para luchar contra la estúpida realidad.

–¡El señor Onana Victoria de Logbaba! ¡El señor Ex Combatiente! ¡El señor Etéme-Etienne-Marcel! ¡El señor Gilbert de Kombibi! ¡El señor Ananga Bilié el Zapatero! ¡El señor Atangana Benoît!

A cada nombre, daba una patada en el suelo en un estado de sensibilidad exacerbada. Andela se quedó inmóvil y, cuando hube acabado de enumerar a mis padres, la hilaridad se apoderó de ella, violenta y espasmódica. Se remangó las faldas y orinó. Se las volvió a bajar rápidamente.

–¿Quiere la señora saber quién es su padre? –preguntó irónicamente. Me cogió del brazo–: ¡Pues sígueme!

Me llevó con ella y las costuras de mi vestido cedieron en las axilas. La señorita Etoundi nos vio pasar y asomó la cabeza de detrás de los fogones.

–¿Qué es lo que pasa? –preguntó.

Andela se detuvo el tiempo de un parpadeo y dijo:

–¡No es más que una explicación! ¡Una aclaración! ¡La señora quiere información acerca de las circunstancias de su nacimiento!

Entramos en casa y Andela cogió una silla.

–Siéntate –ordenó.

Con un gesto, me ofreció una hoja y un lápiz.

–¡Escribe!

Nombre: *Beyala B'Assanga Djuli.*

Lugar y fecha de nacimiento: *Douala, 1961.*

Hija de: *Andela Beyala* y de: *Awono Betemé.*

Unos cascabeles resonaron en mi cabeza. Miré el rostro sin maquillar de Andela.

–¿Estás segura? –le pregunté.

Y tan segura que estaba. Era la época en que ella estaba casada con Antoine Belinga, ese anciano a quien la Abuela la había vendido. Ni más ni menos... ¡Vendido! La voz de Andela era dolorosa.

–¿Sabes tú lo que es vivir al lado de un hombre al que no se quiere? Voy a decírtelo, cabeza de chorlito: te sientes desgraciada, lloras sin motivo, tienes ganas de morirte. Afortunadamente, estaba Awono... Es lo más bonito que me ha ocurrido en la vida, ¿comprendes? Y no me avergüenzo de ello, ¿está claro? Él estaba casado y, cuando comprendí que no dejaría jamás a su mujer y que yo estaba encinta, me vine aquí en busca de cobijo.

Me sentía trastornada, hecha un lío por esas revelaciones. Unas bolas de billar entrechocaban dentro de mi cabeza y yo murmuraba: «¡Awono, Awono!» bobamente, como un crío que aprende a hablar.

–¿Estás contenta? –me preguntó Andela poniéndose en jarras. Sacudió sus cabellos y sus ojos se iluminaron–: Me acuerdo del día en que fuiste concebida. Era una tarde, de pie en un campo de bananos...

Siguió charlando, pero la historia no me interesaba ya. Haber sido concebida deprisa y corriendo me partía el corazón, se me habían pasado las ganas de conocer a mi padre.

A partir de aquella tarde, Andela, como un ciclón, sembró la calamidad. Mandó hacer un montón de copias de mi pedigrí que distribuyó en los chiringuitos, en los burdeles e incluso entre los culis: *Beyala B'Assanga Djuli... Hija de... y de...* y ello durante días.

–¡No tiréis vuestro dinero haciéndole regalos! –les decía a mis padres–. ¡Es hija de Awono!

Mis padres, decepcionados, se encogieron de hombros.

–Miente. ¡Pero tanto peor para la pequeña!

Me olvidaron.

«Lo que quiere la mujer...»

Y de nuevo volví al anonimato del sufrimiento. No tuve ya derecho a ningún dinerillo y otra vez supe lo que era el hambre: mi vientre se hinchó, mis omóplatos acabaron sobresaliendo como alas incipientes. Una noche, Andela me miró de soslayo, se sentó en un sillón, apacible y profunda como un océano.

–¡Que pase lo que tenga que pasar!

La Abuela guardó la cachimba y sonrió.

–¡Que pase lo que tenga que pasar!

Porque la Abuela no parecía preocuparse ya de mi destino, como si la intrusión de Andela pusiera término a nuestros murmullos, a nuestras risas, a nuestros suspiros más dulces que cualquier goma de mascar e incluso a nuestros:

–Cuentan que...

–¿Qué?

Era de noche. Unas luciérnagas revoloteaban y posaban sus faros intermitentes sobre el follaje. Ladró un perro. Un gato maulló y los graznidos de una lechuza taladraron la oscuridad. La Abuela estaba acuclillada delante del fuego, calentándose las manos; las llamas enrojecían sus cabellos. Me acerqué a pequeños pasos y me incliné sobre su espalda:

–¿Por qué ya no me cuentas historias, Abuela?

–Porque no se puede estar contando toda la vida las mismas cosas –repuso ella sin apartar los ojos de las llamas.

Luego añadió como en un murmullo:

–Porque ahora te corresponde a ti transmitir la historia.

Comprendí que la Abuela había echado raíces en mí tan profundamente que a cualquiera que se le hubiera ocurrido arrancármela se habría estrellado y dispersado en la naturaleza como una tormenta de arena.

Transcurrieron los meses y Andela pensó en regresar a su hogar.

–Me iré mañana –dijo.

Hizo su equipaje, amontonó ropa sobre ropa, zapatos sobre zapatos.

–¡Allí no tenemos bombasí!

La Abuela la observaba hacerlo, poco menos que dichosa de verla partir. Nos dio unos besos de despedida.

–¡Buen viaje! –le gritamos nosotras mientras subía a un taxi–: ¡Cuídate!

Regresamos a casa y yo estaba contenta de haberme desembarazado de esa mujer y de sus hijos. No les detestaba, ni les odiaba en absoluto. Mis sentimientos eran semejantes a ese fastidio que siente uno cuando le despiertan mientras está volando sobre un rascacielos.

Andela partía hasta la estación de autobuses. Un día, llegó hasta Yaundé. Otro, alcanzó la frontera... Pero luego se daba media vuelta, incapaz de abandonar Kassalafam, sus olores, sus suciedades, sus lodazales, sus hombres y quizá a mí.

–Me marcharé mañana.

Deshacía y volvía a hacer sus bártulos, vivía con las maletas constantemente a sus pies. La Abuela tenía tal seguridad en el porvenir que no decía nada, incluso cuando una mañana Andela hizo saquear su huerto de plantas medicinales.

–Hay que agrandar la casa –dijo–. ¡Necesito espacio!

–Impídeselo –grité yo a la Abuela–. Destruye todas tus plantas. ¿Qué vamos a hacer?

La Abuela mostró una amplia sonrisa.

–No necesitas ningún huerto para acordarte –dijo–. Si no, ¿de qué te sirve la memoria?

Me encogí de hombros.

–¿Por qué no se va?

La Abuela me hizo señal de que me acercara. Me incliné hasta tener su boca pegada a mi oído.

–No va a poder abandonar ya Kassalafam.

Luego añadió como si se tratara de una banalidad:

–He puesto un poco de tierra del pueblo en su comida.

Y no se trataba de ninguna pesadilla.

No estaba soñando cuando vi a la Abuela mandar matar a la mayor parte de los animales de su corral. También era una realidad incuestionable la conducta sexual de Andela. Estaba abierta de piernas la mayor parte del tiempo. No podía resistirse ni al atractivo de los hombres ni a la novedad. Se los traía de la verdadera ciudad, trajeados, presentes un día y al siguiente si te he visto no me acuerdo. Yo no tenía ningún contacto con ellos, con más razón cuanto que hacían ver que estaban discutiendo de negocios.

–De aquí a tres semanas, este asunto estará solucionado.

–¡Es estupendo! –exclamaba Andela poniéndose a dar palmas.

–Sí, señora, la ley es clara al respecto. Se requerirán a lo sumo seis semanas para montar esta empresa.

Andela sonreía a Jean, Paul o Antoine, que le devolvían a su vez la sonrisa. A mí me entraban ganas de gritar frente a tanta hipocresía. Mi madre, esa mentirosa. Mi madre, esa mujer sin el menor rigor moral a quien el destino había confiado una descendecia. El odio me cegaba hasta tal punto que me hubiera gustado romperles la cara a esos gordinflones adultos y necios que se enfangaban sin ningún recato en el cieno devorador del placer. Terribles blasfemias no acababan de salir de mi garganta: «Son sin ninguna duda hijos del mismísimo diablo». Mi voz estallaba en mi estómago en un rosario de insultos. Miraba aviesamente a esas falsas parejas, esos amores cuyo relajo moral quebrantaba nuestros códigos culturales, unos códigos no escritos, pero que definían el ciclo de las estaciones y de los hombres, de su encadenamiento al trabajo y a las festividades, del amor y del odio, del bien y del mal.

Andela me sorprendía, me interpelaba:

–¿Qué coño estás haciendo aquí en vez de ir a pasear a los niños?

Cogía a mi hermano y a mi hermana de la mano y me alejaba en tanto que, detrás de mí, las camas se ponían a rechinar, los colchones a gemir mientras sobrevolaban la antesala de los paraísos terrenales.

Cuando regresaba, encontraba a Andela sentada sobre una estera cepillándose el cabello.

–¡Qué cansada estoy! –exclamaba.

Se lo recogía en un moño en lo alto de la cabeza, bostezaba, se desperezaba y se estiraba.

–¡Ven a hacerme un masaje en la espalda! –me ordenaba.

Yo me agachaba, con las piernas a uno y otro lado de su cuerpo. Mis manos iban y venían, dulces y tiernas, por su columna vertebral recta como un joven tronco de árbol. Mis dedos masajeaban sus carnes de arriba abajo, hasta que se volvía blanda y vibrante. A continuación se dirigían más abajo hasta el nacimiento de las nalgas, se paraban en el surco donde se habían extraviado unas manos varoniles, toscas y callosas, que la habían palpado, y un sufrimiento inextricable transía mi pecho.

La Abuela me miraba con una atención ansiosa.

–Mañana hay que matar al gallo rojo –decía, y luego tomaba un poco de rapé–. Pasado mañana, le toca a la gallina de plumaje amarillo y negro pasar a mejor vida.

Yo me detenía, sin aliento.

–¡A este paso, nos quedaremos sin ningún animal!

La Abuela estornudaba, respiraba tres veces hacia arriba y tres hacia abajo, tratando mediante este rodeo de estar por encima de las pequeñas virtudes y alegrías.

–La vida no tiene más interés que el olvido de sus intereses.

Cuando no quedaban más que un pato y una pata blanca, la Abuela paró.

–Se reproducirán –dijo arrojándoles unos granos.

El día era azul y, como no soplaba el menor viento que hubiera podido barrer sus argumentos, yo la creí. Los hombres iban a su trabajo y las mujeres al mercado. Algunos silbaban porque el calor nos permitía aún respirar un poquito.

La Abuela entró en su habitación y yo me senté a su lado, en esa cama que compartíamos, esa yacija que había sido testigo de mis resfriados, de mis paludismos, de mis risas, angustias y sueños de niña. Empezó febrilmente a poner orden.

–Nunca hay que dejar el desorden detrás de nosotros –dijo.

Yo escuchaba, distraída. Mi espíritu estaba alterado por horribles pensamientos.

–Andela no me quiere –dije–. Pero lo que se dice nada de nada.

La Abuela frunció el ceño, habló separando las palabras como para evitar una montaña.

–La mayor alegría de la vida es vivir junto a aquellos a los que uno quiere –dijo–. ¡Tú quieres a tu madre, eso es lo esencial!

Esa respuesta no me convenció y la Abuela tenía otras preocupaciones. Desplegó y volvió a doblar sus ropas. Quitó el polvo a los muebles y limpió las viejas cacerolas. Parecía calma, interiormente tranquila. Le propuse repetidas veces echarle una mano, pero ella declinaba el ofrecimiento.

–Un día –me decía– pasarás por momentos en tu vida en los que tendrás que asumir sola tus elecciones.

El sol alcanzó su curva descendente y la Abuela acabó su tarea. El crepúsculo la sorprendió aseada, hecha un primor. Cuando se presentaron mis primos, tíos, tías y primos segundos en medio de un griterío y de la sorpresa general, la Abuela estaba confortablemente instalada en un taburete, con el rostro plácido como si todas las arrugas acumuladas a lo largo de su existencia hubieran desaparecido de él.

Andela acudió precipitadamente, les besó, les abrazó y se apartó un poco para mirarlos.

–¡Pero no me dijisteis nada de que vendríais! –exclamaba.

Ellos reían.

–¿No te ha dicho la Abuela que veníamos?

Contemplaban las primeras estrellas en el firmamento.

–¡Sin embargo, ha sido ella quien nos ha convocado!

Yo saqué sillas, taburetes y todo cuanto pudiera permitir su reposo. Pronto no quedó en toda la casa ni vieja cacerola ni caja vacía. Corrí a casa de los vecinos para pedir más prestadas.

–¿Qué pasa en vuestra casa? –me preguntaban.

Yo me encogía de hombros.

–¡No sé nada!

Acudí rápidamente con los taburetes, y los asientos desaparecían no bien colocados. Había gente por todos lados: unos Joseph el Gordo a quienes no conocía; jóvenes tías Marité de las que no había oído hablar en mi vida; primos grandes y chicos, gente toda ella que se repartía por todas partes, debajo incluso de la veranda. Hasta tía Barabine estaba allí para encontrar una excitación en su vacuo destino. En el patio habían encendido un fuego con unos maderos y las llamas se echaban sobre los rostros, iluminando los labios que se movían sin por ello volver las frases audibles.

Asomó la luna en el cielo, soberbia con su cohorte de estrellas: amarillas, rojas, verduscas, hermosas hasta el estremecimiento. Se mofaban de nosotros con sus poderes misteriosos. Yo estaba sentada detrás del mango y unas luciérnagas revoloteaban sobre el ramaje. «Tal vez la Abuela anuncie el matrimonio de Andela», me decía. Los mosquitos me picaban en las piernas y yo pensaba que, al día siguiente, estaría cubierta de ampollas.

La Abuela se levantó, golpeó con el bastón para exigir silencio y se expresó en los siguientes términos:

–¡Hijos míos (*coma*) hermanos y hermanas de Issogo (*punto y coma*) y esposas (*puntos suspensivos*). Os he reunido esta noche (*silencio*) con el fin de anunciaros (*un gran silencio*) que mañana (*pausa y luego hablar precipitado*) voy a emprender un viaje muy largo!

Reinaba una calma tal que creí que la tierra acababa de abrirse bajo nuestros pies. Un huracán surgió de nuestras gargantas.

–¡No es posible!

Andela se precipitó hacia la Abuela.

–¿Adónde quieres ir, mamá? –Le cogió la mano, suplicante–: No dejaré que lo hagas, ¿me entiendes? –la amenazó–: ¡A tu edad es peligroso!

La Abuela se liberó del apretón de un manotazo, igual que se apartan las lianas de un bosque.

–No he perdido la cabeza –dijo–. ¡De todos modos, siempre estaré a vuestro lado!

La determinación de sus ojos, la rotundidad de sus palabras obligaron a Andela a dejarse caer en su silla como una muñeca con los resortes rotos.

–Haced algo –les pidió a sus primos–. ¡No puede ser que se vaya!

Tíos y tías acudieron en su ayuda.

–¡A tu edad no puedes decidir viajar, y encima sola!

La abuela se mantuvo en sus trece. Abogó a favor de su causa con energía. Su argumentación era tajante y construida a la medida de su existencia: sin fisura.

Sus contrincantes tuvieron que admitir y tener en cuenta cierto número de criterios:

1. ¡La Abuela era de esos seres que habían asumido su destino sin dejarse vencer!

2. ¡Era una mujer-espíritu, una Reina, y nadie podía imponerle su voluntad!

3. ¡La noche palidecía y ellos se estaban muriendo de sueño!

La Abuela levantó su taparrabos y sacó un fajo de billetes que empezó a repartir.

–¡Esto es para ti, Angamba, para que te compres un bonito recuerdo!

Mis primos expresaban su agradecimiento y hacían desaparecer subrepticiamente el dinero en sus bolsillos:

–¡Buen viaje, Abuela!

La noche se tragaba sus siluetas. La Abuela atravesaba por entre todo aquel gentío como si fuera el mismo Cristo y su pelo relucía con las llamas. Acariciaba con un gesto la cabeza de un niño.

–¿Verdad que serás bueno con tus padres?

Ponía un billete en sus manitas.

–¡Toma, para que te compres caramelos!

Se alejaba y el montón de dinero iba decreciendo y mi corazón latía acelerado. Cuando llegó a mi altura, abrió unos ojos como platos.

–¿Eres tú Ngono Assanga Djuli? –preguntó.

Yo estaba excitada con la idea de todo aquel dinero.

«Me compraré un vestido rojo, ceñido en la cintura», me dije.

Mi avidez me conducía indistintamente tanto hacia las zapaterías como hacia las vendedoras de buñuelos de alubia, hacia las tiendas de transistores como a las de los joyeros senegaleses. El sudor me brotaba del cuero cabelludo, deslizándose por mi frente. Alargué las manos, con las palmas bien abiertas para recoger la ganga. La Abuela, sin darme nada, pasó de largo.

«Nada más engañoso que el agua límpida –me dije para no perder del todo la esperanza–. Me ha reservado su fortuna. Me la dará después.»

De repente la Abuela dio un palmoteo:

–¡Ya está, se acabó!

Y unas lágrimas perlaron mis ojos. Se dirigió hacia el gallinero.

–¡Nadie ha sido olvidado!

Recobré la esperanza y me asaltaron mis fantasmas.

«Esto es el apoteosis», me dije.

La Abuela regresó a los pocos minutos, dichosa y vivaracha, sosteniendo en una mano a las dos volátiles, las únicas que habían escapado a su escabechina. Hubo un murmullo de alas lastimadas. La Abuela se mantuvo derecha ante el fuego, abrió la boca, y un águila que andaba revoloteando por allí se llevó su voz hasta las cimas de los montes:

–¡Beyala B'Assanga Djuli!

Yo acudí corriendo, con el corazón latiéndome locamente. Las llamas saltaban y sus luces me reflejaban, infinita en sus ojos. Muy solemne, me ofreció las dos aves.

–Ngono Assanga Djuli –dijo–. Harás reproducir estos patos macho y hembra. Con ellos nuestro pueblo se reproducirá. Con estos patos macho y hembra enriquecerás a nuestro pueblo. Con estos patos macho y hembra volverás a levantar nuestro Reino.

Un espantoso dolor desgarró mi pecho: aquello no era justo. ¡Era gracias a mí por lo que había acumulado toda esa fortuna! ¡Era yo quien la había ayudado durante años a regar su mandioca! ¡Era yo quien había realizado esas bajas tareas y no mis primos, tíos y tías, que heredaban y reían de contento! La abuela dilapidaba mi fortuna, ¿por qué?

La gente se fue dispersando.

–¡Buen viaje, Abuela!

Mis pensamientos eran confusos. Andela se precipitó en los brazos de su madre.

–¿Cuándo te vas, mamá?

La Abuela la besó cariñosamente.

–Muy pronto, mañana... –murmuró.

Yo estaba desorientada. Andela bostezó y estiró los brazos.

–Despiértame, para que te acompañe a la estación.

La Abuela tuvo que responderle que no, pero incluso un sí no hubiera cambiado el curso de la historia. Andela volvió la espalda y su cama la atrapó.

Cuando la Abuela y yo nos encontramos a solas, con esa luna que ya palidecía, con esas estrellas de tenue luz y esas sillas vacías por todo decorado, rompí en sollozos. Dejé que mi dolor se desahogara como una marea de barro.

–Eres injusta conmigo –grité–. ¡No me has dejado nada!

La Abuela observó mi rostro, luego un punto indeterminado en el horizonte.

–Tú no lo necesitas, Ngono Assanga Djuli.

Luego añadió:

–Estás por encima de eso.

Luego se alejó y el fuego arrojó unas sombras sobre su silueta, que desaparecía.

–¿Adónde vas, Abuela? –grité yo.

Su voz llegó hasta mí, ya lejana:

–¡De viaje!

Corrí tras ella y unas lágrimas nublaron mi vista.

–¡Espérame!

Ella no se volvió.

–Te vas sin haber cogido siquiera tu equipaje –dije–. ¿Qué va a pensar Andela cuando despierte?

Un silencio y pies que se posaban, prestos, como si no perteneciéramos ya al mismo mundo. Anduvimos un buen trecho y dejamos la ciudad en el momento en que caía la noche. Al llegar a la linde del bosque, la Abuela se volvió y me miró.

–Ahora tienes que regresar a casa –dijo–. A partir de aquí, me dirijo al reino de mis mayores.

Su voz era inapelable y mis pies se quedaron pegados al suelo, como enraizados en él.

–No lo olvides, Ngono Assanga Djuli –dijo–. ¡Con estos patos macho y hembra volverás a levantar nuestro Reino!

Lentamente, la Abuela reanudó su andadura con el día naciente, con el gran sol rojo que se alzaba en el horizonte. Su silueta desapareció por entre aquellos húmedos follajes verdes, verdes de árboles tupidos, verdes de lianas que se enganchaban como caníbales a su cabello.

–¡Te quiero, Abuela! –grité, mientras que a lo lejos las primeras risas se alzaban en la ciudad.

No la volví a ver más. ¿Cuántos días, semanas o meses empleó en morir? No lo sabré nunca.

Volví sobre mis pasos, trastornada, pero dueña soberana de los recuerdos de toda una época iluminada como un relato bíblico y engastada de recuerdos que transmitir.

Volví sobre mis pasos, con unos símbolos que era preciso analizar, unas verdades que había que debatir y las risas de una humanidad que había que hacer vivir, a despecho del sentido común.

Volví sobre mis pasos, para que, más tarde, mis compatriotas, al ver que me deslomaba escribiendo historias, pudieran exclamar: «¡Pero si es La Niña de la Farola!».

Volví sobre mis pasos, para dar de comer a los señores Sabelotodo, esos críticos corroídos de envidia, y permitirles continuar una infructuosa carrera que, según Alejandro Dumas, no aporta al mundo de la literatura más que esas coronas de espinas que han trenzado y que ponen entre risas sobre la cabeza del poeta vencedor o del vencido.

Volví sobre mis pasos, sin duda para que el mundo abriera sus ojos a esa hermosa vida dura de África, sin duda para gritar a los ignorantes que un escritor no es más que un contador de historias que usa signos; que un contador de historias no es más que una memoria y que esa memoria pertenece a todos. O a nadie...

Volví sobre mis pasos, para que chocáramos juntos nuestras manos de alegría, para convencernos definitivamente de que no está todo tan mal en lo que es realmente atroz.

París, 30 de junio de 1997

Dedico este libro a mis editores: Sylvie Genevoix, Richard Ducosset, Francis Esménard, Claude Chaillet;

a los profesores Jacques Chevrier, Roger Little, Éloïse Brière, Ginette Adamson, Benetta Jules Rosette y otros muchos más;

a los numerosos periodistas que me han apoyado;

a Lou-Cosima, a mis amigos y a mis numerosos lectores que claman sin cesar: «¡Viva la diferencia!».